U0129410

陳福成 編

文學叢刊

中國鄉土詩人金土作品研究反響集

文史哲出版社印行

國家圖書館出版品預行編目資料

中國鄉土詩人金土作品研究反響集 / 陳福成編.
-- 初版 -- 臺北市：文史哲, 民 109.10
頁； 公分--（文學叢刊；428）
ISBN 978-986-314-529-5（平裝）

1.金土 2.鄉土文學 3.詩評 4.文集

851.487 109015375

文學叢刊 428

中國鄉土詩人金土作品研究反響集

編者：陳福成
出版者：文史哲出版社
http:// www.lapen.com.tw
e-mail：lapen@ms74.hinet.net
登記證字號：行政院新聞局版臺業字五三三七號
發行人：彭正雄
發行所：文史哲出版社
印刷者：文史哲出版社
臺北市羅斯福路一段七十二巷四號
郵政劃撥帳號：一六一八〇一七五
電話886-2-23511028 ・ 傳真886-2-23965656

定價新臺幣三六〇元

二〇二〇年（民一〇九）十月初版

ISBN 978-986-314-529-5 10428

序一：這份神州大地上的文學因緣

人世間許多因緣說來真是神奇。二〇〇五年之際，已走近黃昏歲月，深感此生一事無成，至少也應對現代吾國之統一，在兩岸做些文化、文學交流。這輩子也才對得起自己身為一個中國人，對得起中華民族列祖列宗！

於是，《中國春秋》（後改《華夏春秋》）雜誌誕生了。可惜，諸多條件不足，發行六期就打烊了！

不久，《華夏春秋》死而復生，竟被吾國遼寧省綏中縣的鄉土詩人金土（張云圻），在神州大地成功復刊，此時是二〇一一年七月。

算來已九年了，大陸版《華夏春秋》仍在發行。這是一段文學詩歌因緣，開啟我研究金土的鄉土詩歌，《中國鄉土詩人金土作品研究》一書，於二〇一七年由台北的文史哲出版社隆重出版發行。深感意外的，《金土研究》這本書引起大陸文友許多反響，有評文、詩歌、書法等，以各種文體形式寫出讀後感，並發表在各期《華夏春秋》，感動人心啊！

本書收錄反響作品，到刊在《華夏春秋》二〇二〇年第三期為止，未來尚有，於再版時補入。

為免於這些反響詩文散軼，經整理集中出版，便於有系統閱讀，亦利於圖書館或私人典藏，也是對《華夏春秋》文友的回應。回應這份神州大地的文學因緣，是本書出版的主要動機。

台北公館蟾蜍山　萬盛草堂主人　**陳福成**

誌於佛曆二五六三年西元二〇二〇年七月

序二：給大陸詩人金土先生的信——

關於《華夏春秋》詩刊在大陸開辦說明

大約近十年前，理解到中國的崛起和統一之勢，已然不可逆，並極可能在二、三十年內完成實現，使「廿一世紀是中國人的世紀」真正來臨。身為住在台灣的中國人，要為吾國、吾中華民族做些什麼？我從文化上手，開辦《華夏春秋》雜誌，每年四期，每期贈台灣各界一千本，贈大陸各界五百本。當時的宗旨和展望是：

第一、積極宣揚中華文化，用文學詩歌、現代（傳統）詩等各種表達方式，體現中華文化之美。

第二、以「中國學」為核心思維，向兩岸人民推展對吾國吾族歷史文化的了解，我們須要認識自己。

第三、「中國學」包含所有和吾國吾族相關的政、經、軍、心，涵蓋當代與吾國有關的亞洲和國際問題。

第四、中國學的核心思想是春秋大義、仁政、正統和統一。(此即孔子在《春秋》及春秋三傳之核心思想)

第五、《華夏春秋》是中國人的共同舞台，我們「以筆為槍」，向西方「中國威脅論」者反擊，批判美國為首的西方霸權主義，制壓(消滅)倭國軍國主義者。

《華夏春秋》創刊號，在二〇〇五年十月出刊，有兩岸作家、詩人發表數十篇作品。可惜只發行到第六期即因種種原因停刊(註：前三期刊名《中國春秋》，後三期刊名《華夏春秋》)。

《華夏春秋》在台灣停刊後，大陸曾有詩人、作家朋友來信問我，要在大陸復刊，問我意見。我均答以「我樂觀其成、無條件、成功不必在我，我們應為國家統一、民族復興做出一點貢獻等」，後來復刊均未果。

直到幾年前，遼寧綏中的中國《詩海》金土先生，來信問我他要復刊，我亦如上回答。終於，金土先生真的在大陸把《華夏春秋》復刊了，也宣揚了中華文化的文學詩歌之美！我很感動！每一個中國人，每一個炎黃子孫，都應該思索，大家來到神州大地走一回，人生苦短，你到底為吾國吾族做了什麼？

不久前，我收到金土先生於二〇一四年四月十五日的信，告知《華夏春秋》要從報紙再開辦詩刊，我當然支持，也沒有任何指導意見，成功不必在我。任何詩人、作家朋友，不論在台灣或大陸，我都期勉能為吾國吾族做出小小的貢獻，人生才沒有白走一趟！

末了，我預祝增辦《華夏春秋》詩刊順利成功，詩海的作家、詩人們身體健康，作品如湧泉。附帶一提，我寄給金土先生的作品，均無條件給你引用，做任何需要之用，我的作品完全合乎前述五大宗旨。耑此　再祈願

《詩海》及各位詩人作家萬事如意！

積極宣揚中華文化！

兩岸交流順利，早日和平統一！

我因近月忙於台灣大學諸多雜務，延遲來信，請見諒。

弟**陳福成**草於台北　二〇一四年五月廿三日

序三：致金土並向寫《金土研究》反響的作家們請安

我寫這封信是在二〇二〇年四月底，整個地球，各國各地區全「封死」了，這疫情難以善了。我等都算「老人家」了，我六九、你七九。大家保重身體，也向寫《中國鄉土詩人金土作品研究》的作家們請安，希望大家都快樂、健康，在「文學理想國」中，盡情麾灑！

數日前，收到你寄來的《華夏春秋》二〇一九年第一、二期。內附一簡函，要我一張彩照做封面，我想，此事勿須。原因：(一) 這麼重要的封面，留給對你編雜誌有功的人才對；(二) 從二〇一一年報紙型到現在，我的照片也常出現。(三) 你應該也很清楚，現在台灣獨派當家，不斷在清算統派的人，一件小事就送頂「大帽子」，我說統派人人自危，你可能不相信！吾一介草民，低調些好！

幾個月前，收到《華夏春秋》二〇一九年第四期，我針對劉忠禮、趙寶來、李伍久、奚寶書、楊玉清，所寫的反響，我也寫一篇回應（有寄給你）當《金土研究》的二版序，並將他們作品放書末。二版已叫出版社寄給你五十本，有需要我再寄。

二〇一九年第一期，我看到：王文成、趙鴻德、劉希英；第二期有：王立華、杜尚權、高寶俠、陳玉新、張振林、秦旺、衛德連、趙寶來。當然還有你。

二〇一九年第三期，我沒有，若有存貨寄兩本給我。

你在二〇一八年六月十九日的簡信說：「不止耗費了你的大量精力，也耗費了你的大量資金」。

這一點老大哥盡可放心。和你一樣，寫作是我們人生重要的樂趣，別的樂趣（打牌、跳舞等）都不會，只會寫作，美其名曰「使命感」吧！透過寫作，你我這輩子有了這段好緣，我也和前述提及的作家們有了心靈交流。

至於「大量資金」嘛！孩子都大了，不需要我花費什麼，你說「老人家」幹嘛要捨不得花呢！錢就是花掉才顯其價值，光是存在銀行，是沒有功能的，顯不出價值。這是我一向的金錢觀，何況花掉的只是「閒錢」！你有需要《金土研究》，都可再寄！

老大哥，你會不會覺得很奇怪！整個祖國大地上，不知有多少名勝我都寫過（詩、散文、遊記等），如二〇一七年第四期《港城詩韵》刊出：〈詠友誼關〉、〈德天瀑布〉等多首，那些地方我都沒去過，但能寫，寫的不離譜吧！你說奇怪嗎？這兩年有朋友到大陸參訪，我幫忙寫了《廣西參訪》、《北京天津廊坊參訪》二書，我也沒有去參訪。

多年來我隱居山裡寫作，約有五、六個原因讓我放棄遠行，當一個隱者，神州大地含金土老大哥們，俱在我心中，此生足也。若那五、六個原因消失了，我仍在，我會重出山；永不消失，也無所謂，隨因緣，隨我的「業」。

祝　福　老大哥、作家們

身體健康、靈感如江河　作品如海洋

後學**陳福成**二〇二〇年四月二十六日於台北

中國鄉土詩人金土作品研究反響選集

目 次

輯二 《華夏春秋》二〇一九年第二期《金土研究》的反響……四七

輯三 《華夏春秋》二〇一九年第三期《金土研究》的反響……七一

輯五 《華夏春秋》二〇二〇年第一期《金土研究》的反響

輯六 《華夏春秋》頌詩

附件

輯一

《華夏春秋》二〇一九年第一期《金土研究》的反響

台灣著名作家陳福成《中國鄉土詩人金土作品研究》一書在大陸引起的反響文章選登

讀《中國鄉土詩人金土作品研究》淺談金土詩歌創作

遼寧 王文成

簡介

王文成，遼寧綏中人，籍貫遼寧省興城縣，畢業於沈陽農學院、遼寧教育學院中文本科、錦州教育學院中文專科，曾任職小學、初中、高中教師，中學校長、書記，教育局教育股長、縣政府督學辦主任等職。中學語文高級教師職稱。現為遼寧省作家協會會員，綏中作協理事，《華夏春秋》詩刊顧問。一九九〇年後於各級報刊發表通訊報道四〇〇餘篇，於《中國教育報》《遼寧日報》《鴨綠江》《詩潮》《沈陽日報》等發表散文、詩歌百餘篇首。創作逾百萬字。有詩集《清荷齋詩稿》、詩文集《我家就在岸上住》《清荷齋詩文集》、回憶錄

《紅塵滾滾》出版。參與編撰《綏中縣志》、《綏中年鑒》……二〇一五年被綏中縣委宣傳部、精神文明辦評為《書香門弟》並頒發牌匾。

台灣著名政治家、學者、愛國詩人陳福成先生，出於對金土先生創作精神的讚許和感動、對其作品的喜愛和研究，對其人格的尊重和仰慕，推出洋洋十幾萬字的著述《中國鄉土詩人金土作品研究》，於二〇一七年出版發行海內外，引起巨大反響。在金土家鄉—遼寧綏中，迅速掀起一股「金土旋風」—學習、研究金土先生詩歌創作的熱潮。

誠如陳福成先生在其書序言中指出：金土先生在六十餘年的詩歌創作中可歸納為有四把刷子，一是解決問題刷。人生不尋常經歷，煉就了金土堅韌不拔的克服困難，勇往直前的精神，他沒有被困難和挫折嚇倒，而是毅然決然前行不止的勇士。二是興趣持恆刷。他自幼喜愛文學，熱衷於詩歌創作，少年立志要當個詩人，為此痴迷不輟。那不是一時興緻，草草收工，而是一生的追求，是持之以恆，不達目的不罷休。從讀詩到愛詩，從寫詩到編刊，他是個頑強拼搏的墾荒者、耕耘者，沒有點獻身精神，談何容易？三是堅信必成刷。凡事立則成，不立則廢。三分鐘熱血是辦了任何大事的。

金土先生有一往無前的毅力，認准一條路，絕不輕言放棄，終成不廢江河萬古流。第四是起死回生刷。不管是讀書，不管是走向社會，在人生的漫長旅途中大起大落。他在當大隊書記時，對立面曾給他滿街貼過大字報，曾給縣委書記寫誣告他的密信，一寫就是三年。縣委書記曾多次派人進行調查核實，得出的結論他卻是人民公僕，他是好書記，他領導的大隊是「抓革命，促生產，三年三大步」，年年獲獎，報紙有名，電台有聲，被縣委評定為大寨式大隊。他在食品站當站長時，經商掙錢歸公，被縣食品公司和商業局評上先進職工。經商賠錢歸己，搞承攬加工玉米秸，出口南韓失敗，一次就賠過十五萬元。從一九九三年（五一歲）後，運勢不佳，開石場、承包水暖活，搞鑽井等全賠錢；兒子離婚，又娶新妻，僅新房裝修就花掉三萬八千元。到二〇〇三年，外債累計達二一萬元。二〇〇八年開始轉順，二〇一二年正月初十才把外債徹底還清。他在初學寫詩上，一連投稿百回，都是泥牛入海無消息，但他決不灰心，直到得到報刊編輯賞識。他就是這樣以不折不撓精神，橫眉冷對逆襲因素，以大智大勇，力挽狂瀾，非達到「山窮水盡疑無路，柳暗花明又一村」不可。

金土先生一路走來，一路吟唱，並陸續主編《凌雲詩刊》—《詩海》—《詩苑》—《港城詩韻》—《華夏春秋》，他以樸實無華，接近地氣、口語化，大眾化語言，筆記寫法，出版個人專集六部。在縣內外、海內外產生巨大反響。豎起一座豐碑。

我與金土先生相識甚晚，大約退休後得知他的大名。是因為寫詩和參加詩社活動而相識、交往、交流、切磋、相知，由淺入深地研讀了他的幾本詩作，使我對他有了進一步的了解。

一、不尋常的經歷

孟子云：「舜發於畎畝之中，傅說舉於版築之間，膠鬲舉於魚鹽之中，管夷吾舉於士，孫叔敖舉於海，百里奚舉於市。故天將降大任於是人也，必先苦其心志，勞其筋骨，餓其體膚，空乏其身，行拂亂其所為，所以動心忍性，曾益其所不能。人恆過，然後能改，困於心，衡於慮，而後作；徵於色，發於聲，而後喻。入則無法家拂士，出則無敵國外患者，國恆亡。然後知生於憂患而死於安樂也。」引用這段經典名篇與金土先生作比照實在是恰如其分。

一九四二年，金土出生於一個普通農家，父親無文化，以扛活做月為生，母親四歲時雙目失明，給她本人帶來極大的痛苦和不便。金土家兄弟三人，父母親還要供養母親的兩個弟弟家，共二〇多口人，只能拼死拼活地在求生的路上掙扎。金土出生時，因為養不起，差點被溺死。上小學三年級時，母親為了給她大弟建房，外出算命打卦掙錢，他得給母親領道「當眼睛」，走村串巷，只好輟學。期間不知經歷了多少旁人的冷眼和世態炎涼。還剩一個月這一學期就結束了，他以超凡的毅力趕上功課，取得好成績，得到班主任靳老師的誇獎。一九六一年，正讀高中一年級的他，隨家從沈陽遷居山海關，為減輕家庭生活負擔，再次輟學，到農村落戶。從此走向了社會，由此改寫了他的人生軌跡。竟暗合了他深入基層，深入農村，了解社會，為他的文藝創作汲取營養的夙願。他先是當社員，後被選為生產隊會計，大隊文書、支部書記等。一九七〇年，母親不幸去世，這給他無限傷感。一九八六年，黨給還鄉青年落實政策，他被安排到萬家食品站上班，吃上商品糧，成了非農戶。由於工作勤奮，貢獻大，很快升職為站長。馬克思主義認為，任何事務都具有兩重性，「禍兮福所倚，福兮禍所伏」，不利的因素可能帶來好的結果，有利也可以帶來壞的結果。一個人在成長的過程中都希望有個良好的環境，一帆風順，但現實絕非事事如願。那麼怎麼辦？一是消極接受，怨天尤人，從此萎靡不振，致使一事無成；二是變消極因素為積極因素，「路漫漫其修遠兮，吾將上下而求索」，拚搏進取，增長聰明才智，實現心中的大目標而奮鬥不息，終成正果。那麼毫不誇張的說，金土是屬於後者型的。長期拮据的生活條件，坎坷豐富的人生經歷，煉就了金土先生堅韌不拔的性格和百折不撓的精神。也為他的詩歌創作積累了大量的素材。成了他詩歌創作六十年不枯竭的源泉。是社會大課堂給了他無窮盡的知識和力量，他是弄潮兒，他是個有成就的人。

二、起步最早資格最老的綏中當代鄉土詩人

金土先生像愛惜生命一樣熱愛著文學藝術，特別是熱愛詩歌創作。在社會大學的課堂裡，他是辛勤地耕耘者。伴隨著人生的腳步，讀萬卷書，行萬里路，寫萬首詩，「生不達此志，死卻心不殭」（《學故有感》）。一九五七年十二月二十五日，他剛十五歲，就朝思暮想，雨讀風耕，立志當一個詩人。終於模仿李白《望盧山瀑布》寫出《夜去沈陽》處女作：

馳車遙望滿天星，
疑是銀河落城中。
我欲進城尋牛斗，
進城卻見萬盞燈。

頗屬小荷才露尖尖角，有點意思，初顯出他的詩歌天賦。

金土先生對詩歌的執著追求，漸漸得到親朋好友，周邊群眾和領導的關註。一九七〇年至一九八〇年，金土的反映農村生活的作品，樸實無華的風格，《錦州日報》的副刊編輯特別看重，經常給他發稿。為避免作者名字多次重複出現，編輯建議他另設筆名金土，交替使用，是將他原名張雲圻中的圻字拆開，取諧音「金土」。

一九七二年，他寫出的《長大要保衛毛主席》（兒歌）刊登在錦州市文聯為紀念毛主席《在延安文藝座談會上的講話》發表三十週年編撰的《文學選集》上。這對他是個巨大地鼓舞。一九八四年，他隨團去江南考察，路過北京，又寫出《動物園評論》發表在《北京文學》上。從此，筆耕不輟，行雲流水，一發而不可收拾，一日寫詩多達十三首。且首首經典，讀之擊掌者三。特別是改革開放後，他的詩歌創作達到了噴發泉湧的地步，是他詩歌創作的高潮時期。至今已堅持詩歌創作六十餘年，可謂奇人奇事奇才奇跡。

二〇〇四年三月，金土加入中國詩人協會，任《鄉土詩人》詩刊編委參加編刊。二〇〇五年一月，綏中三家新聞媒體（綏中報、綏中電台、電視台）採訪了詩人金土。二〇〇八年，他和綏中縣人大副主任李保安、凌雲詩社社長李大興、詩友李光、張振新等人創辦了綏中縣有始以來的第一本雜誌《凌雲詩刊》，他做了執編。以後，他還創辦執編《詩海》、《詩苑》、《港城詩韻》、《華夏春秋》，發行至今不輟。

從創辦凌雲—詩海—詩苑—港城詩韻—華夏春秋，金土一日不可無詩，詩是他生命的重要組成部分。他在《隨感》中唱吟：

月圓月又缺，日落日還出。
江水流不斷，有流就有枯。
去年七十四，今年七十五。
人生倒計時，已到這時候。
趁手能拿筆，每日寫不休。
文常一千字，詩曾十三首。
自信人會死，化作一抔土。
唯作好的詩，能夠永不朽。

金土先生的經歷坎坷，對詩熱愛致痴的程度，可謂當今絕唱。他是用生命在吟誦，是生命不息，寫詩不止。譽為綏中現時鄉土詩壇第一人當不為過矣。

三、勤耕不輟　精品多多

一九七二年，金土發表第一篇處女作。
二〇一三年二月，《張雲圻詩歌筆記》出版。
二〇〇四年八月，《啊，故鄉》詩集出版。
二〇〇六年一月，《皎潔的月光》詩集出版。
二〇〇九年五月，《情愛集》詩集出版。
二〇一五年來，金土先生除了主編凌雲、詩苑、詩海、港城詩韻、華夏春秋外，寫下了大量的詩文。
二〇一六年三月，《病中詩筆記出版》。
二〇一七年六月，《我愛》詩集出版。
即將出版詩集《水韻奧園裡的歌聲》。

到今天為止，他執編出版的詩刊三九期、報紙二〇餘期，出版個人專集六部。曾於《詩刊》《中華詩詞》《星星》《詩潮》《揚子江》《詩歌月刊》《詩詞月刊》《詩選刊》

《芒種》《青海湖》《當代小說》《北京文學》《山東文學》《遼寧作家》《遼寧日報》《中國文學（香港）》《中華作家（香港）》《大文豪（香港）》《華夏春秋（台灣）》《葡萄園（台灣）》《新大陸（美國）》《菲華日報（菲律賓）》《世紀風（新加坡）》《清流（馬來西亞）》等百家報刊發表上萬首、篇作品。他的著述文字量已達五〇〇餘萬字。而且有許多是精品。在國家、省、市級徵文比賽中多次獲大獎。

如此諸多成就，都是一般人難以做到的，然而金土先生做到了。

四、詩風純樸　人格高尚

「接地氣」是金土詩風的一大特點。金土先生出生農家，原本布衣。他經歷了農民—基層幹部—企業職工；讀者—作者—編輯；為人子—為人夫—為人父等多個人生角色。不尋常的人生經歷，使他在社會大學學到了許多正規學校沒有的知識，他最貼近農民及基層老百姓，對他們的柴米油鹽、喜怒哀樂、溫飽炎涼、舉手投足等等，有切身體會，可以說是瞭如指掌。他從生活中汲取了大量的營養，這成為他以後創作的取之不盡，用之不竭的源泉。這使得他在文藝創作中縱橫馳騁，游刃有餘。用他的話說是接地氣，寫出來的東西群眾才喜聞樂見。

如他的《接地氣八十一首》，是他風格詩的代表作。《走在路上》《姑娘和小伙在嘮什麼》《但願是真的》等，寫的都是身邊事，都是不起眼的小事，但卻是大千世界的一朵朵浪花，一粒粒砂石，進而使讀者從一滴水看到大海，從一粒砂石提示大千世界。

他的詩寫實生動。金土先生善於運用活潑寫實生動、詼諧有趣的群眾語言，描寫生活中的事物。用他自己的話來說：「我寫詩的追求，很簡單，就是兩點，一是幽默，讀後讓人開心，咧開嘴笑，鬆弛一下神經，解除一下疲乏，給人的身心帶來健康帶來益處。二是精美，讀後讓人嘖嘖讚嘆，拍案叫絕，雖非李杜，卻也應達到出語驚人。」（摘自《情愛．關於我的讀和寫》）。

如《捉魚摸蟹》（摘自《八十一首接地氣詩》）：

來到從沒來過的一條河
又想摸魚又捉蟹，
摸蟹吧魚咬大腿，
捉魚吧蟹夾胳膊，

心想從來沒見過，
魚和蟹咋地這麼多？
正納悶，岩上姑娘笑著説：
「那魚都是我承包水面養的」

本詩生動形象地展示了新農村新科學種田的新景象，讓人讀來可信、形象、親切，如臨其境，如聞其聲，如見其容，十分有趣。

又如：《樹蔭底下》（摘自《八十一首接地氣詩》）：

三伏眼裡大熱天，
樹蔭底下好談戀。
女的偎在男懷裡，
男的親著女的臉。
有個老頭從旁邊過，

假咳一聲吐口痰。
我也從旁邊走過，
知情懂理沒搗蛋。

本詩生動形象地描寫了兩個人對青年戀愛的不同態度，使夏季樹蔭下的場景躍然紙上。本是個不引人注目的小事，卻折射出不同態度，一個是守舊頑固迂腐，另一個是寬容理解開明。別人不注意的情節，在金土的筆下躍然紙上，叫人拍手叫絕。

金土先生的詩充滿了正能量。正如毛澤東所一貫主張的，文藝要為工農兵服務，它是團結人民，教育人民，打擊敵人，消滅敵人的強有力的武器。他的詩無時不在宏揚愛國主義、集體主義、社會主義，反映改革開放以來祖國的新變化，反映農村新氣象，新風尚，體現真善美。如《彩禮》（摘自《八十一首接地氣詩》）：

上莊的大妞與下莊的二喜，
倆人相愛可以說是如膠似蜜。
大妞問二喜，咱倆啥時結婚？

二喜回答：我正在籌辦彩禮。
大妞說：彩禮若是不要呢？
二喜驚喜：天下哪有這樣的？
頓時間刮起了大風下起了大雨，
那是老天聽見了都歡喜。

本詩生動形象地反映了新時代農村的新風景揭示了青年男女正確的人生觀、世界觀，揭示了他們純淨的靈魂，祖然的大氣，心心相印，不以金錢作為婚姻的基礎。等於是向一切向錢看的挑戰和吶喊，對傳統舊風俗、舊觀念的批判和鞭撻。代表著先進思想文化的前進方向。

金土先生《自畫像》（摘自《八十一首接地氣詩》）：

什麼叫接地氣？
什麼叫詩歌筆記？
表現手法是一樣的，

不如都叫金土體。
它的特點是十二個字，
「如實反映社會，盡量使用口語」
只要癱妻和中國老百姓歡迎，
我將永遠這樣寫下去。

金土是個勤奮的耕耘者，多年來他吟咏詩文編刊辦報灑下了大量的心血和汗水。他像一頭老牛，勤墾地、一步步地，耕耘著，收獲著。

他特別注意培養和愛護青年詩人和初學寫詩的人，傾注了不少心血和汗水。他在編刊的徵稿啟中言明：「不唯名家，扶持新人，把每一位作者寫作水平的提高視為己任。以質論詩，好稿必登。」還特別提出「大力發展會員，每期都給見稿」。有個文學青年，身體有點殘疾，金土十分重視他的成長，鼓勵他立志成才，給他提供相關資料，贈送書籍，給予巨大的精神鼓舞，使他堅定地揚起人生的風帆，敢於面對困難，大膽前行，寫出了不少有份量的詩歌散文。這樣的事例真是不勝枚舉。

對己嚴，對人寬。他嚴謹對待文學創作，對自己的每篇文章、每首詩都要字斟句酌，寫出的東西往往都要放在抽屜裡沉澱幾日，不時拿出來審視，修改，直到認為無可改動了，才打字寄往相關報刊編輯部。

文如其人，詩如其人。正如他在《關於我的詩歌情懷》中自白：

我愛詩歌，十五歲學寫，直到古稀，筆也未歇。
寫山寫水，寫偉大祖國，寫苦寫甜，寫我的生活。
頭髮寫白了，再把它染成黑色；皺紋寫深了，臉上出現溝壑。
染黑頭髮，為永保青春；溝壑藏金，要猛勁挖掘。
有雄心，何愁騷壇添霞輝，人生史上增光澤。

就是金土先生，從不認識到認識，到熟悉、到理解。他一貫主張先修人品後寫詩。他是率先垂範，身體力行。他的人品和詩品得到了縣內外、海內外很多人的公認。正如綏中縣作家協會主席張涵稱他是「元老級知名作家、社會活動家，發表作品多，筆下功夫深。還因此，帶動了當地文藝期刊的興起（綏中已有六家辦雜誌），對綏中縣文學事業的繁榮發展做出了一定貢獻。」當新的一年開始的時候，我們衷心祝願金老身體健康！有生之年，再創輝煌！期望有更多的好作品問世！

金土，其人其詩——《中國鄉土詩人金土作品研究》讀後札記

遼寧 趙鴻德

簡介

趙鴻德，遼寧東戴河人。從一九五八年開始，有作品問世，散見於《遼寧群眾藝術報》《鴨綠江》《詩潮》《綏中報》《錦州日報》《葫蘆島日報》《秦皇島日報》《遼寧日報》《共產黨員》（副刊）。畢業於錦州教育學院文學系（函授），中學高級教師。

「不識廬山真面目，只緣身在此山中」，我和金土是老友，老詩友，可是對其人，其詩，卻沒有遠在幾千公里之外的台灣詩人、詩評家陳福成先生看得全面、透徹！

《中國鄉土詩人金土作品研究》，台灣陳福成先生所著。我卒讀後，一個全新的詩人金土突兀站立在我的面前。全書計三二八頁，目次明晰，分為：序——金土的四把刷子‧關於我著作的聲明；緒論，中國鄉土詩人金土研究的因緣動機架構；第一篇，中國鄉土詩人金土與《華夏春秋》因緣。下分三章：第一章關於遼寧綏中詩人金土的傳奇（一）；第二章關於遼寧綏中詩人金土的傳奇（二）；第三章我和金土《華夏春秋》的因緣。第二篇，《張雲圻詩歌筆記》賞析研究，下分三章：第一章，現代新詩人原始自然的詩歌吟咏；第二章，把「債」昇華成一種詩；第三章，情詩，禮讚張雲圻與馬煥雲的愛情傳奇。第三篇，《啊，故鄉》賞析研究，下分三章：第一章《啊，故鄉》，我的夢中國土；第二章，金土的旅遊詩抄，是我夢遊的國土；第三章，動物開講詩，棒喝人腦袋。第四篇，《皎潔的月光》賞析研究，下分三章：第一章，愛與人生，徐志摩與金土情詩比較賞析；第二章，皎潔的月光，中國人永恆的鄉愁；第三章，詩人和詩，何為好詩。第五篇，《情愛集》賞析研究，下分三章：第一章，愛情，推動著世界前進；第二章，農村山青的愛情故事；第三章，金土式幽默風格——詼諧、打趣、諷喻。第六篇，《病中詩筆記》賞析研究，下分三章：第一章，金土突生病，養病詩千首；第二章，愛妻突生病，金土也心焦，情愛如初戀；第三章，辦刊是大業，詩友情似金；結論：金土，其人其詩，就是這樣。附件：遼寧省綏中縣鄉土詩人金土先生生命歷程與創作年表簡編。這部《中國鄉土詩人金土先生作品研究》，堪稱大部頭，對金土其人其詩，解析精闢獨到，陳先生的結論是：一、金土的作品，「有血有淚，有肉有骨有靈」。作品盡是心血嘔出，是詩人內心純潔的真性情。二、金土的作品姓「詩」、姓「中」、姓「我」。談到詩，不可改變詩的母體基因，她只能姓「詩」，只能姓「中」，只能姓「我」。金土的詩，是鄉土詩、農民詩、筆記詩，從中國幾千年來的詩歌傳統檢視，確實是中國文學的首創，她當然姓「中」，不是西洋，也不是東洋，是中國文學之新體，金土體。三、愛情，推動著世界前進。古今中外談情說愛的作品（詩歌、小說、電影……）比五湖四海的水還多，卻無論如何不會比金土的愛情還多，還濃。他的愛情，推動著世界前進，他的人生觀就是愛情觀，用愛情的眼睛看待世界萬事萬物。妻子是永恆的情人，詩是他的情人，山河大地花草樹木也是情人，因此他有源源不絕的情詩，他的詩裡都是情和愛。還有，從金土的眼睛看出去，豬、牛、羊、狗、雞、螞蟻、蚊子、大象、野蛙、燕雀也都在談情說愛。啊！金土，你的愛情永不凋謝，你四周的所有人都感受到你的愛意和赤誠，我在千里外也能從詩裡讀到你熱愛的溫暖。愛情，確實推動著世界前進。請看陳先生對金土《雪山與大河》這首詩的賞析——

大河從山頂流下
歡喜得直舔大山的腳丫
雪山稱這是最好的足療
其實就是用水沖刷

沖走冰塊，沖走了泥沙
沖走了雪山的滿頭白髮
雪山煥發了青春　就把愛
全部交給了大河的浪花

從古至今，擬人化都是詩人最常用的技巧，詩學上叫「物化」，但未見有如金土物化得那麼徹底。當然，詩不光是擬人化，還要化出意境，這首雪山和大河之戀，化成朵朵浪花而有了意境和想像。再看陳先生對金土《瀑布與高山》這首詩的賞析——

瀑布站起來了
往高山身上一靠

情愛知多少

高山俯下身子
來和瀑布擁抱
瀑布激動得淚珠飛濺一陣浪笑
立馬生出一條白龍
徑直向山下奔跑

這首詩意象鮮明而構筑出不凡的境界，「瀑布站起來了／往高山身上一靠／情愛知多少，」真是太妙了！瀑布站起來往高山身上一靠，不僅意象突出，形象具象也都很真實，顯示金土索句數十年，確實磨出了真功夫，尤其使山河大地都愛情化，可能是中國文學史上所未有的詩體或構思。宇宙萬物多麼複雜而無邊無際，但從愛因斯坦的眼睛看出去，不外就是$E=MC^2$，從金土的眼睛望出不外是「愛情」二字。四、詩史會典藏於文學史的某一角落。大凡或為一種歷史，它總會存在於歷史的某一角落……據我對歷史性質的理解，對金土作品的基本認識，我敢判斷，他的作品屬於大時代文學史中的小地區詩史，會始終存在文學的某一角落。當金土百年後經幾代相傳，淘盡各類標籤（黃秋聲語），時間和因緣會決定是否讓他復活。陳先生慧眼識珠，這是對金土詩作客觀而真實的評價。五、人生有目標，有使命感、不忘初心。我在研究金土的人生行跡，創作歷程，就已看到這些特質情操，他一路走來，從年輕到老，對文學的執著，就已很清楚標示著有目標，有使命感，不忘初心形象，這是有目共睹的。陳先生不想饒舌，我亦不想贅述。

古今寫詩的人比牛毛多，卻找不到有像金土寫得那麼痴，痴得走火入魔。儘管古今也有詩人號稱詩魔、詩鬼、詩痴、詩囚……但似乎也沒有金土來得嚴重，難以解釋金土對詩深入的程度，如安九振《魔術詩人金土》一詩，「眼看哪，哪有詩／耳聽哪，哪有詩／一張嘴，就吐詩／打噴嚏，能噴詩／手扶犁，能種詩／拿鐮刀，能割詩／腳一抬，踢出詩／身一抖，就掉詩／走路踩著詩，吃飯嚼著詩／睡覺枕著詩／夢囈說著詩／血裡流著詩，心裡時刻想著詩／一管魔筆，萬物都可寫成詩。」這樣評說金土，並不為過，他一出世，中國詩壇又多了一個詩魔。

親愛的讀者，你想進一步了解金土的其人其詩嗎（我這篇札記，只能做個引子）？你最好捧起金土的六部大作—《張雲圻詩歌筆記》、《啊，故鄉》、《皎潔的月光》、《情愛集》、《病中詩筆記》、《我愛》和陳福成先生的大作《中國鄉土詩人金土作品研究》對照著仔細閱讀。陳先生，一個台灣籍的炎黃子孫，對一個大陸詩人及其作品解析得如此「玲瓏剔透」，源於他對祖國的熱愛，對祖國文化遺產的熱愛。他心中有愛，有大愛，才發現金土的愛心，才發現金土詩作愛的主題，愛的主旋律。才發現金土在《箴言》中說的「博學出真知，苦寫成聖人」。

眞是一本亮人眼眸的好書！——讀《中國鄉土詩人金土作品研究》後所想到的

遼寧　劉希英

簡介

劉希英，女，遼寧凌源人。筆名：麥青、苦竹、雪梅等。係中國大眾音樂協會會員，中國散文詩研究會會員，中國音樂著作權協會會員。迄今已在全國多家報刊雜誌發表作品三〇〇餘篇（首），其作品入選多種選本，獲得多次獎項。作品收入《中華名人格言》㈣《國際文壇金牌作家寫錄大全》《中國當代情歌選》《全國文學藝術優秀作品集》等精裝卷書。歌詞「紅楓情思」被收入《當代中國歌詞大觀》第八輯，散文「遠去的帆影」在《校園生活》雜詩發表，經專家評審為二等獎。歌詞《回憶裡的美》榮獲二〇〇八「中國杯」新創作歌曲、歌詞全國總決賽作詞二等獎。二〇一七年五月出版與詩友合集《永恆的詩魂》，二〇一〇年在《豐碑》精裝卷書徵文活動中，作品組詩六首入選，被評為一等獎，並授予「炎黃文人」榮譽稱號。

一

從小就喜歡閱讀的我，讀了一些各類書籍，對於文學方面的報刊頗有興趣。但是，有一本書更是亮了我的眼眸，它的質量上乘，是書中的奇葩。單從那精美的封面，繁體豎楷的排版，以及厚重的程度，就已經吸引了我。再看看裡面的內容，哇，是台灣著名作家陳福成老師的作品研究，難怪如此的別具一格。這本《中國鄉土詩人金土作品研究》真的是難得一見的好書籍，如果說我以前讀到的書，用寬闊的大海來形容，那麼這本就是飛濺的浪花，精彩至極！快來讀吧！准能讓你一飽眼福。

二

看來台灣作家陳福成先生，對詩人金土的研究是下了一番功夫，可以說匯集了金土一生的生活歷程以及創作生涯。不但對金土的五、六本詩集做了細緻的分析和研究，還闡述了作家本身的觀點和理論。尤為奇妙的是，陳福成老師將其研究的詩句，用採擷提排的方式，呈現在讀者面前，突顯出詩的美意。這是對金土先生詩歌的讚賞和尊重，從而，也為本書增色不少，並能體會到愈是名聲顯赫的文人，愈是境界高尚，謙虛誠懇，禮貌待人。

三

這本書使我愛不釋手，堪稱一絕！裡面的插圖也拾到好處，烘托了文字的意境。金土的詩寫得好，陳福成老師的評語更為妙。他們兩人珠聯璧合，琴瑟共鳴，通過這本名著展現出文學藝術的光彩。在本書一五四－一五七頁中，陳福成老師對金土關於動物詩的研究，引起我深深的思索—借鑒狼和虎，寫出了想要表達的內寓，形成了哲理典故，發人深省。在本書五一－五三頁，有金土關於對妻逝後的筆記詩文，在這裡看出他對生死也很淡然，他一生都在追求真善美，正像他在《我給自己畫像》詩中所言：「人生應像日月星，只要不落就發光」。在對生命盡頭的研究中，作家與詩人也有共識，他們以豁達和幽默的風趣，讓灰暗的話題，也升騰出了活力，活著堅強，死亡何懼！即便將來我們與大山和土地融為一體，我們的靈魂和思想依然在祖國的上空飛翔。

四

金土先生的六部詩集我都拜讀過，擺放在我的書櫥上層。今讀《中國鄉土詩人金土作品研究》，更清晰地瀏覽了一遍，整體結構細緻地映入眼簾。陳福成老師的論述，像給我上了一堂生動的理論課，真是受益匪淺。書中的註釋與小結我也仔細拜讀了，加入的新內容，形成對比，使讀者耳目一新，是畫龍點睛之筆，真的很棒！金土用心血鑄就的詩，贏得了台灣作家的賞識；台灣作家的研究理論又得到廣大讀者的稱讚，他們都是文壇上的知名人士，給大家帶來豐盈的精神食糧。作家與詩人早就因《華夏春秋》結緣，那種深厚的友誼牢不可破，有詩為證：「我的這一生，文朋詩友多。台灣福成弟，大陸劉章哥。」（金土《我一生》）「欽佩文朋詩友間的純真友誼，他們互學共勉，共同提高，合力撐起文學的金字塔。感謝陳福成老師，奉獻給我們如此精湛的美作，使這部浸滿您智慧和心血的著作，像春風裡綻放的百花園，香飄萬里，滋潤著廣大讀者的心田。

輯二 《華夏春秋》二〇一九年第二期《金土研究》的反響

台灣著名作家陳福成《中國鄉土詩人金土作品研究》一書在大陸引起的反響文章選登

給台灣著名作家陳福成

遼寧　金土

《中國鄉土詩人金土作品研究》
是台灣著名作家陳福成第九三部大著
達三二八頁，十分厚重，使多少讀者愛不釋手
可有誰知道著作者有多少不眠夜晚，用多少心血澆筑
怎能不使金土深受感動，怎能不使金土深受鼓舞
陳福成老弟，不！應叫陳福成老師，金土願改變原來稱呼
金土願把對您的感激之情向您進行娓娓傾訴——

啊！金土本來不是駑馬，是您又給加鞭
金土本來就是一輛快車，是您又給加油

金土本來就愛寫詩編刊，是您讓他幹勁更足
金土本來步入耄耋之年，是您讓他重回青壯時候
金土知道您著這本書時，蔡英文正大搞台獨
金土為了表達對您的敬重，願吟《五絕》一首：
台灣大作家，為土著宏書。不畏台獨擾，精神真可謳。

讀台灣陳福成書 說大陸金土事

遼寧 王立華

簡介

王立華，遼寧錦州人，一九四七年一月一日生。一九六八年參加工作，先後供職渤海造船廠和船舶職業技術學院，二〇〇七年退休，喜歡詩歌，猶愛律詩。迄今已完成作品八千六百餘件，陸續發表各級文藝刊物，並有獲獎。

現任《中國鄉土詩人》詩刊編委，《華夏春秋》詩刊駐葫蘆島市聯絡站主任。金土稱他是思維敏捷、筆力強健，是《華夏春秋》詩刊會員中作品產量最高，為人最和善，辦事最認真的一位老詩人。

一

僅憑作品即知人，素未相謀可論文。

金土名聲關不住，海峽兩岸士相聞。
千年文化融一體，孔孟家學無二根。
華夏春秋結緣厚，福成金土貴交神。

二

市井凡人三把刷，詩人金土涮泥巴。
鄉村就是綠苗地，筆下開出野草花。
寫山寫水寫雞犬，有人有土有莊稼。
代言土地農民樂，一不留神變大家。

三

金土大師慧六根，深知土地與民辛。
珍惜糧谷重農事，熱愛農民土地親。

掏肺掏肝掏腸胃，貼皮貼肉更貼心。
福成兄弟沒看錯，大地子孫大地根。

四

福成大陸探黃金，金土世居渤海濱。
愛黨愛國愛鄉土，愛山愛水愛農民。
寫雞寫犬寫螻蟻，寫谷寫苗寫感恩。
熱土青禾授溫暖，頂天立地柱一根。

五

漆黑年代有出生，註定小苗難硬撐。
鬼子三年繳了械，蔣公四載陷南京。
國家解放人民幸，歷史大潮挾裹中。

我要讀書備桌椅，苦學厚儲立詩宗。

六

田園勞動通民脈，大有作為壠畝中。
放棄求學應變故，選擇實踐路光明。
投身社會熔爐裡，創作源泉在底層。
公社生活接地氣，胸懷天下是為公。

七

公司解體好淒清，天命之年腳踏空。
水暖承包虧老本，私營下崗斷糧供。
雇工斷臂賠傷款，合伙秸粉以敗終。
金土一生多厄運，詩歌依舊展鯤鵬。

蓮心曲——讀台灣著名作家陳福成《中國鄉土詩人金土作品研究》一書有感

遼寧 杜尚權

簡介

杜尚權，有作品發表在《詩潮》、《中央人民廣播電台》、《光明日報》、《遼寧日報》、《鄉土詩人》、《華夏春秋》等刊物雜誌。長期從事農民教育工作，曾獲全國農村科普先進工作者榮譽。

一

詩人學者炎黃孫，兩岸同根相印心。
文化架橋鑄共識，同為華夏一家親。

二

「研究」終為經典篇，生花妙筆放光環。
五洲盡看詩魔（註一）事，四海皆聽巨擘（註二）言。
潑墨凝神三個月（註三），揮毫著意六十年（註四）。

註一　詩魔，即金土。

註二　巨擘，即陳福成。

註三　「帶著一點急迫感，苦幹實幹三個月，加上兩年多的閱讀筆記，終於把《金土研究》功課做完。」（陳福成語）。

註四　金土從十五歲寫詩，今已七十七周歲，達六十二年矣。

贊金土與陳福成二君的友誼

遼寧 高寶俠

簡介

高寶俠，中教高級教師，至今享受國務院津貼。
現任《華夏春秋》詩刊主編。

兩地一家骨肉親，詩詞歌賦往來頻。
未曾謀面情如海，總在交流近似鄰。
日久天長情彌重，山隔水阻誼常新。
不知何日能相聚，我定千杯敬二君。

贈台灣陳福成大師

遼寧　陳玉新

簡介

陳玉新，現為燕山詩歌文藝社會員、綏中縣作家協會會員、葫蘆島市作家協會會員。愛好文學，鍾愛詩歌，由中學開始至今，寫了大量的詩歌和文學作品。

作品先後在《詩刊》、《詩潮》、《詩海》、《燕山》、《凌雲》、《詩海潮》、《港城詩韻》、《遼寧日報》等多家報刊和雜誌上發表，並多次獲獎。

台灣作家陳福成，海峽兩岸暨大名。
咏物抒懷詩千首，吟山頌水意萬重。
春夏秋冬耕不輟，寒來暑往筆難停。
「研究」金土嘔心血，字裡行間無限情。

致台灣文學巨匠——陳福成

遼寧 張振林

簡 介

張振林，葫蘆島市作家協會會員，《詩海潮》、《華夏春秋》二刊副主編，曾在《華文作家》、《新國風》等刊物發表過詩歌文學作品。著有《人生如詩》一書。

祖籍四川不忘根，陳君原本是軍人。
文中總表黃埔志，詩裡常抒中國心。
漫賞葉莎莎愛葉（註一），大評金土土金（註二），
台灣必有回歸日，我定虔誠拜訪您！

註一 見陳福成《葉莎現代詩研究欣賞：靈山一朵花的美感》一書。

註二 見陳福成《中國鄉土詩人金土作品研究》一書。

贊中國著名鄉土詩人金土

內蒙古 秦 旺

簡 介

秦 旺，《華夏春秋》詩刊主編，中華詩詞學會會員，發表詩千餘首，多次獲得金獎。

金土詩歌唱大風，鰲頭獨占九州東。
凌雲詩海和詩苑，華夏春秋與港城（註一）。
四海五湖皆仰看，千家萬户盡恭聽。
文學巨匠（註二）書一本（註三），更使詩魔別樣紅。

註一 此句含金土執編的《凌雲》、《詩海》、《詩苑》、《港城詩韻》、《華夏春秋》五個刊名。

註二 本句中「文學巨匠」，指已著一百多本書的台灣陳福成先生。

註三 書一本，指陳福成《中國鄉土詩人金土作品研究》。

金土家

遼寧 衛德連

簡介

衛德連，多年來，曾在《渤海文學》、《港城詩韻》、《攝影文學》、《中國鄉土詩人》、《詩海》、《關外文學》、台灣《華夏春秋》報等刊物發表過詩作，曾出版《德連詩歌選》、《夢裡夢外》。現為中華詩詞協會會員，中國鄉土詩人協會常務理事，葫蘆島市作家協會會員，葫蘆島市楹聯家協會會員，碣石詩社副社長，《港城詩韻》詩刊主編、台灣《華夏春秋》報副主編。

長城腳下古村崖，阡陌直通金上家。
六卷詩書接地氣，半桌紙筆飲花茶。
編刊編報編天下，一字一行一縷霞。
更有名家一大著（註一），藏屋高處放光華。

註一　名家一大著，指台灣著名作家陳福成著的《中國鄉土詩人金土作品研究》一書。

詩痴金土——讀台灣著名作家陳福成《中國鄉土詩人金土作品研究》大著產生的聯想

遼寧　趙寶來

簡介

趙寶來現任《燕山》雜誌副主編，《華夏春秋》詩刊特聘書法家，《葫蘆島日報》特約記者，已在《人民日報》海外版發稿一篇，在中央人民廣播電台發稿三篇，在省市縣發稿約三百多篇，詩稿和文稿均有建樹。已主編出版《三山風物傳奇》、《九門台風光》二本書籍，已在《百家詩文精品》等數十家刊報獲金獎、一、二、三等獎、優秀獎多次。

金土者，自矜是農民詩人

現任《華夏春秋》詩社執行主編
是個一息尚存，就耕耘不止的主兒
江蘇呂倫（《南部詩歌》報主編）稱他是詩王
遼寧趙鴻德（《華夏春秋》詩刊副主編）稱他是詩魔
世界漢詩協會稱他是詩神
我稱他是詩痴，痴就是傻
傻到平生不重金錢獨愛詩
年剛十五，就立志當個詩人
模仿李白《望廬山瀑布》寫出《夜去瀋陽》：
馳車遙望滿天星，疑是銀河落城中。
我欲進城尋牛門，進城卻見萬盞燈。
屬小荷才露尖尖角，初顯出他的詩歌天賦（王文成語）
光陰荏苒，白駒過隙，到今年金土已七十七周歲
到今天已出版《情愛集》等六部詩集，

執編《華夏春秋》等詩歌刊物四十期
一個地地道道泥巴滿身的農家娃子
踏平多少坎坷成大道
終於引起台灣著名作家陳福成的關注
為他著書立傳，稱頌不已
作為他的至親詩友，我怎能不去拜讀
怎能不感到金土沒有白流偌多的心血和汗水
怎能不為金土感到驕傲、高興、慶喜
怎能不更加珍惜我倆半個多世紀的誠摯情誼

金土啊，還記得嗎？
五十年前的一個夏季
縣文化館召開業餘作者創作座談會
在會上，你朗誦了自已的作品
聲音爽朗，詞韻優美

加上你黑紅的面頰，魁梧身軀
一下子就讓我記住了你
會前交流，會後切磋
我倆終於成了莫逆

哎！說這個幹啥
還不是因一別就是多年
可我倆的心卻還連在一起
你敬佩我在《人民日報》上發表文章
我羨慕你在馬來西亞《清流》雜誌上贏得贊譽
就這樣，互相比翼齊飛

還不是因一別就是多年
你的工薪不高，生活水平一直很低
我從心眼裡把你惦記

有一位姓劉名紹綏的詩人把你這樣描寫：
　肩挎書包步量天，
　槳子油條腸半閑。
太形像了！太逼真了！
這就是執編《凌雲詩刊》時的你！

還不是因你追求執著
寫詩辦刊，總不歇筆
還是那位劉姓詩人，把你大加贊美：
　採得百花釀佳蜜，
　凌雲詩友享甘甜。
道出了你的情懷，你的境界
還有你的勤奮，出刊從不誤期，無與倫比
還不是因你倡導的筆記詩體

見山寫山，見海寫海
大到宇宙，小到螞蟻
最忌晦澀，提倡口語
口語入詩，著名詩人劉章說：
「因為詩是由歌而興起的
愈是好詩愈是口語的」

還不是因你的語言幽默、含蓄如《凳子說》：
　雖然也長四根腿，不可拿我當馬騎。
　要是把我騎散架，看你以後還坐誰。
非大手筆，如何能寫出這等動人心魄，啞物說話的妙句

還不是因你的詩充滿正能量
盡情地歌頌黨，歌頌人民，歌頌祖國山川大地

盡情地歌頌習近平盛世，小康社會如《小年》，
　是夜臘月二十三，家家都把花炮燃。
　村民康後心情好，直把小年當大年。
反映時代，貼近生活，接近地氣，ＯＫ！

還不是因你的刊把眾多詩人凝聚
都願加入你的協會
有內蒙古著名詩人秦旺，美國著名詩人王毅……
本縣綏中入會的詩人更多了，二○○八年就達六十七位

還不是因你為家鄉文化做出了貢獻
還不是因你為家鄉文明爭得了榮譽
還不是因你的詩，你的刊，你的力
已走出國門，傳到海外，打入國際
還不是因你的詩、你的刊，讀著有味

定能從中汲取營養，定能讓人受益
已讓我有「是一種享受、是一種幸福」的體會

啊！我的好詩友，好兄弟呵
你已是我心目中的三奇：奇人奇事奇迹
我真希望你健康長壽，好比南山不老松
為家鄉、為祖國、為人類
寫出更多的詩，首首都是發光的藍寶石
執編出更上檔次的刊，期期都是養眼的綠翡翠！

原載香港二〇一九年第四期《文學月報》

輯三

《華夏春秋》二〇一九年第三期《金土研究》的反響

台灣著名作家陳福成《中國鄉土詩人金土作品研究》一書在大陸引起的反響文章選登

贊陳福成

遼寧 金 土

簡介

金土原名張雲圻，遼寧綏中人，現任《華夏春秋》詩刊執行主編，已執編出刊達四十期。已出版《我愛》等六部詩集，已在《詩刊》、《中華詩詞》、《北京文學》、《遼寧日報》、香港《中國文學》、台灣《葡萄園》、美國《新大陸》、新加坡《世紀風》、馬來西亞《清流》、菲律賓《菲華日報》等幾百家報刊發表作品。曾榮獲「蔡麗雙杯」等幾十個大獎。

台灣著名作家陳福成著的《中國鄉土詩人金土作品研究》一書，已在大陸引起強烈反響。

台灣名士歌金土（註一），大陸文人贊福成。
百部詩書（註二）何筆力，文壇之上敢稱雄。

註一　此句指陳福成著《中國鄉土詩人金土作品研究》一書。

註二　陳福成著書已達一〇五部。

贊金土──讀台灣著名作家陳福成《中國鄉土詩人金土作品研究》感賦

遼寧 王文成

簡介

王文成，遼寧省綏中縣人。曾任教師，校長，黨支部書記，縣政府督學辦主任，教育股長；兼職記者等職務。自幼喜歡文學，出版個人專著五本，於國家、省、市級報刊發表作品多篇。現為遼寧省作家協會會員。龍鳳文學院分院院長。

青山綠水浴朝霞，短曲長歌唱晚華。
苦辣酸甜鹹澀痛，油鹽醬醋米柴茶。
懸梁釋卷嘗佳釀，開口吟詩贊錦花。
少有雄心師李杜，老來壯志賞琵琶。
勤耕細作牛山上（註一），潑墨揮毫奧韻（註二）家。
筆記詩風掀巨浪，福成專著震天涯。
童心椎首書情趣，大愛無疆萬眾誇。

註一　牛山，金土家鄉的土

註二　奧韻，即全土現居住的水韻奧國。

浪淘沙・贊詩人金土老先生——讀台灣著名作家陳福成《中國鄉土詩人金土作品研究》感賦

浙江 譚寶貴

簡介

譚寶貴，男，中共黨員，中文本科學歷。曾任教師、綏中縣政府公務員、綏中縣稅務局工會主席等職。其文學造詣頗深，文筆流暢，有多篇作品見諸報刊，現已退休。

少夢結詩緣，歲月積淵，苦學李杜拓荒田。
萌蕾綻開豐碩果，譽滿今天。
一晃六十年，從未歇閑，殷勤撰寫數千篇。
老驥奮蹄飛也似，不用催鞭。

贊《華夏春秋》執編金土先生——讀台灣著名作家陳福成《中國鄉土詩人金土作品研究》感賦

安徽　李大芝

簡介

李大芝，女，一九六四年出生於安徽省六安市霍邱縣。函授大專學歷。現在上海經商。自幼熱愛文學，格律詩、自由詩均有涉獵。多次在文學刊物發表作品並獲獎。現為龍鳳文學院長分院院長。

一

坎坷人生故事多，唯獨酷愛寫詩歌。
每當登在華刊上，都讓台灣起浪波（註一）。

二

華夏金風吹碧枝，春秋詩社大結實。

古箏奏響三千客，琵琶彈出百萬詩。
跋涉書山無歇日，航行文海有勞時。
苦心「研究」書一本（註二），四海五洲誰不知。

註一　台灣起浪波句，意乃引起台灣著名作家陳福成的關注

註二　「研究」書一本句，指陳福成大著《中國鄉土詩人金土作品研究》。。

贊金土——讀台灣著名作家陳福成《中國鄉土詩人金土作品研究》感賦

遼寧 孫德昌

簡介

孫德昌，遼寧省綏中縣荒地鎮人。其自幼喜愛文學，近年熱衷於詩詞創作，其勤耕不輟，詩興濃而作品豐。有多篇精品見諸報刊。

老牛墾未休，大地綠油油。
奮筆勤創作，詩花遍全球。

贊金土——讀台灣著名作家陳福成《中國鄉土詩人金土作品研究》感賦

遼寧 劉希英

簡介

劉希英，女，遼寧凌源人。係中國大眾音樂協會會員，中國散文詩研究會會員，中國音樂著作權協會會員。迄今已在全國多家報刊雜誌發表作品三百餘篇（首），其作品入選多種選本，獲得多次獎項。

一

寫詩編刊不知累，愛深情濃文中匯。
老當益壯放光華，精美期刊似蝶飛。

二

生來俱有詩情懷，勤奮筆耕信手來。
深得台灣陳老（註一）贊，直呼大陸有人才。

註一 陳老，指台灣陳福成。

贊金土——讀台灣著名作家陳福成《中國鄉土詩人金土作品研究》感賦

遼寧　趙寶來

簡介

趙寶來現任《燕山》雜誌副主編，《華夏春秋》詩刊特聘書法家，《葫蘆島日報》特約記者，已在《人民日報》海外版發稿一篇，在中央人民廣播電台發稿三篇，在省市縣發稿約三百多篇，詩稿和文稿均有建樹。已主編出版《三山風物傳奇》、《九門台風光》二本書籍，已在《百家詩文精品》等數十家刊報獲金獎、一、二、三等獎、優秀獎多次。

騷壇倏見雁飛鳴，聲壯依稀金土兄。
文震綏中六股水，筆驚關外九門城。
編刊一晃十一載，索句年起六十冬。
五洲四海皆稱贊，最屬台灣陳福成。

贊金土——讀台灣著名作家陳福成《中國鄉土詩人金土作品研究》感賦

遼寧 王立華

簡介

王立華，遼寧錦州人，一九四七年一月日日生。一九六八年參加工作，先後供職渤海造船廠和船舶職業技術學院，二〇〇七年退休。喜歡詩歌，猶愛律詩。迄今已完成作品八千六百餘件，陸續發表各級文藝刊物，並有獲獎。現任《中國鄉土詩人》詩刊編委，《華夏春秋》詩刊駐葫蘆島市聯絡站主任。金土稱他是思維敏捷、筆力強健，是《華夏春秋》詩刊會員中作品產量最高，為人最和善，辦事最認真的一位老詩人。

金土的自豪

不比吃穿不比錢，詩歌寫好最為高。
台灣文聖剛研究，大陸書家又執毫。

譽滿五洲皆羨慕，功成四海盡觀瞧。
家鄉倍感增光彩，金土安能不自豪。

頷聯釋：台灣著名作家陳福成二〇一七年十二月於台灣文史哲出版社出版了《中國鄉土詩人金土作品研究》，著名軍旅詩人、歌詞作家、書法家石祥於二〇一九年第三期《華夏春秋》詩刊第七頁發表了《錄金土〈雪日〉》書法。

金土的辦刊夢

薄田二畝事躬耕，每日辛勞汗似湧。
開干常於雞末叫，稍歇總在日初升。
詩情畫意存方寸，華夏春秋儲正能。
播種施肥真賣力，年年都有好收成。

金土的寫詩夢

水韻奧園一老兄，七十七歲展雄風。
辦刊編校人忙瘦，禮尚往來囊洗清。
一件粗衣穿八載，三壇糙米過十冬。
詩集六部金鑲玉，原是精神大富翁。

也說金土

遼寧　七　道

簡　介

七道，原名劉子有，葫蘆島市作協會員，綏中縣作協理事。《燕山》雜誌顧問，《鴻昌文苑》。作品發表各類詩刊及網絡。

要說金土不僅當地百姓和綏中人知道，全國各地都有他的女友，就連台灣、香港、美國同樣有他的粉絲。

台灣作家陳福成說金土是「古今未有，空前絕後的魔術詩人」。我雖不知魔術詩人是什麼樣，但金土編刊十幾年，寫詩六十多年的這種精神就是難能可貴的。

無論寫詩，寫文章，還是做事，首先得學會做人，只有做好人寫出的東西才能有靈魂，才有生命力。這一點我認識的金土做到了。

贊金土與陳福成二位文學巨匠——讀台灣著名作家陳福成《中國鄉土詩人金土作品研究》感賦

遼寧 田麗華

簡 介

田麗華，遼寧省綏中人。工人出身，自由職業者。愛好文學藝術，近年熱心創作，有多篇詩詞佳作見諸報刊。

金土詩人筆最勤，福成「研究」亦勞神。
中華文化文明裡，誰個不知這兩人？

輯四　《華夏春秋》二〇一九年第四期《金土研究》的反響

台灣著名作家陳福成《中國鄉土詩人金土作品研究》一書在大陸引起的反響文章選登

陳福成好（藏頭詩）

遼寧 金 土

簡 介

金 土原名張雲圻，遼寧綏中人，現任《華夏春秋》詩刊執行主編，已執編出刊達40期。已出版《我愛》等六部詩集，已在《詩刊》、《中華詩詞》、《北京文學》、《遼寧日報》、香港《中國文學》、臺灣《葡萄園》、美國《新大陸》、新加坡《世紀風》、馬來西亞《清流》、菲律賓《菲華日報》等幾百家報刊發表作品。曾榮獲"蔡麗雙杯"等幾十個大獎。

臺灣著名作家陳福成著的《中國鄉土詩人金土作品研究》一書，已在大陸引起強烈反響。

陳在臺灣金在遼，福星高照架虹橋。
成為華夏一佳景，好在遊觀盡舜堯。

注一 遼即遼寧。

金土與陳福成

遼寧　劉忠禮

簡介

劉忠禮，遼寧綏中人。一九七一年參加工作，歷任綏中縣高臺堡鄉黨委書記、綏中縣文化旅遊局局長、綏中縣小莊子鄉黨委書記、綏中縣公安局政委、綏中縣政法委書記、綏中縣縣委常委、綏中縣人大常委會副主任。現為中華詩詞學會會員、遼寧省作家協會會員、中國林業書法家協會會員、詩作曾在國內外報紙、刊物發表。

大陸臺灣兩地生，詩人金土福成兄。
往來書信未謀面，相見真情文筆中。
金土研究大著作，文學立論滿篇紅。
發行出版折筋骨，道義相通情誼增。

說明：陳福成，臺灣人，著名作家；金土，中國大陸著名鄉土詩人。二人未曾謀面，只是書信來往，陳從中瞭解了金土，並為其寫作精神而感動，特為金土寫出《中國鄉土詩人金土作品研究》一書。倆人情深意篤，我特寫詩一首稱讚之。

贊金土——讀臺灣著名作家陳福成《中國鄉土詩人金土作品研究》感賦

遼寧　趙寶來

簡介

趙寶來現任《燕山》雜誌副主編，《華夏春秋》詩刊特聘書法家，《葫蘆島日報》特約記者。已在《人民日報》海外版發稿一篇，在中央人民廣播電臺發稿三篇，在省市縣發稿約三百多篇，詩稿和文稿均有建樹。已主編出版《三山風物傳奇》、《九門台風光》二本書籍，已在《百家詩文精品》等數十家刊報獲金獎、一、二、三等獎、優秀獎多次。

大趙稱他是詩魔，小趙稱他是詩癡。
二趙追他幾十載，風天雨夜無歇時。
信手拈來皆素材，抬眼一看盡佳詞。
感動臺灣陳福成，為他著書誰不知。

說明：首句中”大趙“，即趙鴻德；次句中”小趙“即趙寶來。

華夏詩情萬古存——贊金土與臺灣著名作家、詩人陳福成詩情

雲南　李伍久

簡介

李伍久，白族，一九三八年生，雲南劍川梅園人。中共黨員，中學高級教師，一生支邊怒江從事中小學教育、教研工作。為文化部ISC認證藝術家，國家一級書畫師，國禮藝術家，雲南省作協、書協會員，中國國學研究會研究員，中國書畫家新文藝群體書畫家工作委員會會員，中華詩詞協會名譽主席，聯合國和平書畫院院士，中南海詩書畫院名譽院長，曲阜鴻儒書畫院特聘藝術家，中國國賓禮創作中心"國賓禮首創藝術家"，中國非物質文化遺產研究會"中國非遺國禮特供藝術家"。出版有詩歌、散文、詩詞、書畫等十餘種作品集，詩詞作品被入編五〇〇餘種典籍，並多有獲獎。

中國詩壇奇人多，詩仙詩聖又詩翁。
詩癡詩鬼數不盡，如今又出一詩魔。

遼寧綏中張雲圻，筆名金土真詩魔。
萬事萬物均成詩，寫詩勝過變魔術。

鄉土詩人真詩魔，養病養出詩千首。
追債也能追出詩，有情有義詩成河。

詩歌筆記"金土體"，開創詩史新紀錄。
嘔心瀝血抒情志，引出臺灣經典作。

臺灣名家陳福成，研究詩魔心"急迫"。
不懼蠅蚊鬧"台獨"，急出一部大作品。

空前絕後真詩魔，古今未有詩狂人。
我寫此詩贊友誼，華夏詩情萬古存！

詩友金土來作客

遼寧　奚寶書

簡介

奚寶書，遼寧綏中人，當代長篇小說《債情》作者，電視連續劇《綠水青山》編劇，天津和治友德養生理療專家。

敝人居住青山下，木屋木門木籬巴。
土井土院土肥料，石桌石凳石書架。
滿園青菜無公害，四面房檐吊蛇瓜。
狸貓黑豬大黃狗，灰鴿烏雞大白鴨。
林蛙百鳥放聲唱，綠水倒映紅晚霞。
坐上籐椅搖靈感，不用電腦筆生花。
土生土長土生活，土裡土氣土作家。
詩友金土來作客，兩人擁抱土掉渣。
同讀臺灣陳君書，青史留名譽中華。

注一　陳君書，指陳福成著《中國鄉土詩人金土作品研究》。

《華夏春秋》留美名

——致臺灣陳福成君

遼寧 楊玉清

簡 介

楊玉清；遼寧綏中人，筆名海天居士，《華夏春秋》詩刊主編，中學高級教師，葫蘆島市作家協會會員。

臺灣作家陳福成，祖籍四川成都人。
一九五二壬辰歲，生於寶島之台中。
年近古稀似不惑，平生著作已等身。
筆名藍天與古晟，意為旺盛與光明。
又一筆名司馬千，仿效漢朝太史公。
欲寫千古興亡事，長向人間訴不平。
溯本追源知肇始，本肇居士是法名。

"黃埔人"稱為職志，曾做教官與志工。
反對"台獨"盼統一，長以中國人為榮。
"春秋大義"為志業，貢獻所學與所能。
五十年寫千萬字，百本著作皆雄文。
範圍全是中國學，文史哲教政經兵。
君學莫言容盜版，高風亮節數仁人。
廿一世紀屬中國，金甌完美必完成。
中華民族之崛起，全賴統一與復興。
東方睡獅已覺醒，華夏巨龍今飛騰。
炎黃兒女齊奮進，方可勇稱中國人。
陳君半百退休後，身體康健頭腦清。
欲為國家促一統，首先宣揚中國文。
二〇〇五年十月，《中國春秋》季刊生。
華夏春秋雜誌社，刊物、單位名不同。
每期一千五百本，全部郵寄屬贈送。
大陸寄贈五百本，面向大學及個人。
連續出版三期後，《中國春秋》換新名。
中國二字改華夏，意在刊、社名相同。

華謂美麗夏謂大，華夏中國之尊稱。
"春秋"原為魯國史，今為歷史之別名。
"春秋大義"是道統，一以貫之到如今。
聖人孔子成"春秋"亂臣賊子皆懼驚。
陳君辦刊之理念，開宗明義説得清：
"不為賺錢為信念"，堅持一個中國心。
宣揚國學價值觀，口誅筆伐"台獨"營。
世界華人之平臺，以筆為槍咒敵人。
體現中華文化美，瞭解吾國與吾民。

推行仁政與正統，促進統一兩岸親。
反擊"中國威脅論"，加快中華大復興。
二〇〇七年元月，《華夏春秋》刊物停。
前後發行只六期，"打烊"原因不告人。
陳説"不外人和錢"，我猜打鬼是主因。
魔鬼就是"台獨"子，自稱不是中國人。
頭號漢奸李登輝，他曾當過日本兵。
身上流著雜種血，理當蹬腿變灰塵。

二號漢奸陳水扁，“擔水扁擔早已陳”。
帶領“台獨”偽亂邦，五鬼搬運欺台民。
陳舊扁擔今折斷，貪污入獄成罪人。
三號女鬼蔡英文，實屬臺灣白骨精。
認賊做父不知恥，數典忘祖枉為人。
“小菜一碟”應吃掉，統一臺灣勢必行。
陳君生長在臺灣，長以中國人為榮。
聲稱“生為中國人，死後亦為中國魂”。
自古忠奸同冰炭，“台獨”怎容陳福成？
漢奸彈冠互相慶，壓得《華夏春秋》停。
勁草野火燒不盡，大陸春風吹又生。
二〇一〇年五月，落户江蘇省如東。
作家詩人高寶國，高調保護國粹文。
遼寧詩人號金土，投稿名“寫給母親”。
敦料出刊一期後，“復刊”不妥也叫停。
陳君讚賞金土詩，二人相互贈詩文。
二〇一一年早春，遼寧金土問陳君。
復刊《華夏春秋》事，有何條件可説明。

陳君回答"無條件，樂觀其成祝成功！
成功不必在於我；志在統一與復興。
能為民族做貢獻，不枉陽世過一生。"
二〇一四年六月，《華夏春秋》刊發行。
特聘執編是金土，社長仍為陳福成。

二〇一六變報紙，夾在《港城詩韻》行。
二〇一八春伊始，華刊恢復季刊型。
從此落户大陸地，關東黑土紮下根。
陳君永遠是社長，執編還是金土兄。
鄙人"做嫁"為校對，忝列主編之首名。
願學陳君愛國意，永做堂堂中國人。

我與金土近耋耄，不曾寶島臺灣行。
陳君年輕身心健，盼到夢土來關東。
山海關內秦皇島，關外首縣是綏中。
兩地之間姜女廟，南去十裡碣石宮。
大駕若臨東戴河，金土玉清特歡迎。

輯五

《華夏春秋》二〇二〇年第一期《金土研究》的反響

台灣著名作家陳福成《中國鄉土詩人金土作品研究》一書在大陸引起的反響詩文選登

夢福成（外一首）

金　土

夜來夢福成，飛落瑞州（註一）城。
三女峰松舞，九江河浪咏。
鮮花十萬束，美酒一千瓶。
大擺七天宴，盡談兩地情。

註一　瑞州，即綏中。

給《華夏春秋》刊主編奚寶書先生

金　土

擅寫詩，能著文，
才高八斗技超群，
一木《債情》四海聞。

敢擔當，長子心，
酷愛「華刊」做主編，
總願與土（註一）效陳君（註二）。

註一　土，即金土
註二　陳君，即陳福成。

讀台灣作家陳福成《中國鄉土詩人金土作品研究》感懷

遼寧　劉鍾毓

簡介

劉鍾毓，男，中共黨員。高級講師，曾任綏中縣委黨校培訓部主任。現任《凌雲文藝》主編《凌雲詩刊》常務副主編；北方文墨執行編輯；遼寧省作家協會會員。遼寧省詩詞學會會員。結集出版《止錨灣詩稿》、《六股河詩稿》、《九門口詩稿》和《東戴河詩稿》，與他人合作主編《詩百家》，並收錄其作品；詩作散見在《詩刊》、《詩選刊》、《詩潮》、《鴨綠江》、《楊子江》、《中國文學》、《通俗文藝》、《葫蘆島日報》、《鄉土詩人》、《渤海文藝》、美國《新大陸》、香港《詩百花》等報刊上。偶有部分稿件在省市縣舉辦的詩歌大賽中獲獎獲獎。

華夏一家親，詩詞連著心。
陸台分兩地，筆墨著一魂。
金土吟鄉土，陳君念故君。
同根共述祖。草木綻新春，

呈陳福成、金土二君

黑龍江 楊海廷

簡介

楊海廷，哈爾濱人，大專文化，年庚六十有三。酷愛古體本詩詞，係黑龍江省詩詞學會會員。作品散見《黑龍江詩詞大觀》、《冷山詩詞》、《華夏春秋》等刊物。

台灣大陸是同根，有對名流真不群。
陳創「華刊」（註一）逢至友，金編「夏報」（註二）遇知音。
情深意厚（註三）傳佳話，識廣才高（註四）成美聞。
《華夏春秋》緣分苑，育出花木總繽紛。

註一 「華刊」即《華夏春秋》刊。

註二　「夏報」，即《華夏春秋》報。

註三　情深意厚，指陳福成與金土因《華夏春秋》結緣，書來信往已近十載。

註四　識廣才高，指金土有「日寫一千字，年出一本書」贊譽；陳福成著作等身，出書已達一〇六本。

贊《華夏春秋》刊名譽社長兼主編陳福成

遼寧 馬 浩

簡 介

馬 浩，遼寧綏中人，《華夏春秋》詩刊會員。

我是華刊新會員，曾讀陳老作多篇。
詞優句麗誰能比，只有台灣日月潭。

矢志春秋詩作弩

——讀台灣資深學者陳福成《中國鄉土詩人金土作品研究》再論金土先生其人其詩其情

遼寧　白　頻

簡　介

白　頻，遼寧綏中人，中國作家協會會員，《燕山文學》主編。

許久以來，為金土老先生潑墨，已記不清是第幾次了：然而，當金土老先生捧書贈我並叮囑幾句走後，我便淨手、潔身、畢恭畢敬且莊重、認真地翻閱起了台灣學者陳福成那本厚厚的、沉甸甸的、充滿深情厚誼的《中國鄉土詩人金土作品研究》這本書著。

雖然那位來自血肉至親的台灣陸官四十四期、三軍大學八十二年班，復興崗政研所畢業、清華大學高科技管理班、政治大學社會科學研究班結業的台灣著名學者──陳福成講師，實然從未曾見過一面的那位師老。然而，文者相同、血脈相連，在讀他的履歷、文字、以及他對金土老先牛的認真研究、審視、閱讀過程中，我了解到了陳福成老先生曾在台灣野戰部隊各職，台灣大學任主任教官，多次露面於電台講座，在任職國安會助理研究員期間，創辦了《華夏春秋》雜誌，後因種種因由，被迫擱淺。期間，出版國防、軍事、戰略、兵法、兩伴關係、領導管理、小說、翻譯、現代詩、大、高、中學教科書，人世小品書著多達數十種之多。

他歷經兩年多的閱讀和多年的時間積累，終於研究捋順出金土老先生的讀書、寫詩、序文、論述等一系列的浩潮整理工程，以及為他所做詩之研究的創作經歷。大體歸攏起來，總結出金土詩歌創作的來龍去脈，在他的字裡行間，我彷佛一次次地看見，那位年逾花甲的老學究，資深的文化長老、在一副老花鏡下，孜孜不倦的翻閱著金土老先生的詩集、資料、出版的各種刊物的各種不同的場景和畫面。那些仔細認真的神情，那些翻來翻去的讀書移動，時不時地浮現在我的眼前、心胸，喚我為之動容，融我於文字視野的開闊曠遠中。時不時地讓我浮想聯翩、躍躍欲試、胸湧波瀾、蠢蠢欲動。

而與此同時，似乎也是在祖國的人東北，又一副畫面，活躍在家鄉詩壇，一個視詩唯命的老詩人，一位德高望重文學逐夢的老先生—金土，也彷彿依舊在自家的桌案上，正老驥伏櫪志在千里、伏案疾書矢志不渝。

兩位上了年紀的著名詩人、縱然於千里之外，但他們的心是相通的，他們的追求可謂是一脈相承；他們的幹勁依舊當年不減，他們的精神，如泰山之松矍鍊蒼然、長青不老。

基於陳福成老師的研究脈絡，我從尊敬陳福成師老的角度，也按照他的思路，和順序一起談論金土老先生的心路里程，彰顯其詩歌創作的一二。

陳福成老師，在經過近三年來時間的推敲研究裡，整體把金土老先生的創作心路歷程，分割出四把刷子。

其第一把刷子，旨在研究金土老先生的人生軌迹：成長閱歷、遭逢際遇、歷練仲線。在研究、總結、領悟資料的過程中，陳福成師老首先便抽出一個線頭，隨後抽絲剝繭般的沿著這條線頭，順藤摸瓜、附帶著瓜秧的枝枝蔓蔓，加以理解、捋順、鋪叙、展開，隨便善於在文字的顆粒中，撿拾問題、尋找問題、解決問題、高揚其詩歌的創作魅力。從而進一步打磨自己的大腦思緒，努力讓詩家的思緒與自己的思緒吻合、而愈加的接近地氣，從而把詩歌創作的拐點，儘量做到吻合、精彩、默契。

金土寫的第一首效仿李白的《望廬山瀑布》詩寫道：「馳車遙望滿天星，疑似銀河落城中。我欲進城尋牛門，進城卻見萬盞燈。」這首詩可謂是見仁見智、見景生情之作，也是他臨摹敘事、抒情、描景的處女之作，也是他家於一九五六年由綏中農村遷居瀋陽第一印象之作，相對於李白的詩作，雖然缺少了豪邁與大氣，但就他的大膽與感悟而言，已將自己的內心感觸。將一路踏來的風光，將自己的所見所聞，與效仿李白詩歌的點睛之處，會悟得清晰明朗，虛實有度，情景交融得有板有眼，有章有法，不失為是一首處女作中的成功之作。通過這首詩的展現，我們看到了少年金土的才華與悟性，看到了他的思緒與激情的漫延、追求與思緒。

其第二把刷子，旨在把金土老先生持之以恒的詩歌創作，加以褒獎和鼓勵，研究中他說：金土老先生，在初中讀書時就曾經發誓，一定要使自己成為一個名副其實的真詩人：成為一方水土的筆耕者，成為張氏家族中的一種驕傲，成為詩歌逐夢中的佼佼者。正因如此，他自幼讀詩、愛詩、寫詩，他早已將詩歌寫作，當成了自己的第二生命，當做自己生活中的不二選擇。二〇〇二年，他在長春討賑，結識了長春市作家協會副主席、國家一級編審、著作等身的享譽海內外的著名作家詩人楊子忱先生，得到了楊子忱先生的青睞與指點。二〇〇三年，在長春一次就出版了七千冊《張雲圻詩歌筆記》，從此他更加堅定地走以詩為伴之路。二〇〇四年，他帶著剛出版的《張雲圻詩歌筆記》的欣喜，尋到了葫蘆島市《中國鄉土詩人》編輯部，很受編輯部主任吳春玲、副主編宋海泉的賞識，並謀到編委職稱，負責編輯工作。二〇〇六年，他回到家鄉綏中，繼續謀劃、推動、發展他熱愛的詩歌大業。二〇〇八年，他在綏中凌雲詩社名譽社長李保安、社長李大興的支持下，創辦出綏中有史以來的第一本正式的期刊──《凌雲詩刊》。《凌雲詩刊》發行全國，影響很大，終於迎來二〇〇九年來自全國二十多位名家兩百多位詩人參加的盛會，起到了宣傳綏中歌唱家鄉的作用。二〇一〇年，他和《凌雲詩刊》主編李光、張振新聯手，輾轉集資，又創辦了《詩海》詩刊。二〇一四年，他在《詩海》詩刊總監馬長富的助推下，又將《詩海》詩刊改名為《詩苑》詩刊。二〇一九年，他和綏中縣王寶鎮人大主席揣連喜又將《詩苑》詩刊改名為《港城詩韻》詩刊。二〇一八年，其實在這之前幾年，台灣著名作家陳福成創辦的《華夏春秋》刊物，打烊後經協商，得到陳福成詩老的支持，就已由金土接辦出刊多期了。金土老先生感慨地說:「以後不想再改名了，乃因《華夏春秋》這個刊名，平仄相當，音韻鏗鏘，如洪鐘大呂，擊打動聽，這是第一；第二，涵蓋面廣，雍容大氣、有親和力，有家國情懷、民族意思，滿能激揚文字，勉力我敢於擔當，敢於戰勝困難謀發展，走向輝煌的彼岸。

金土老先生，從讀詩、寫詩、再到創辦詩刊，人生三步升級的築夢經歷，讓他更加的爐火純青，腳步鏗鏘、為霞滿天。

他的這一部分的詩歌代表作，也是陳福成師老對他的高度贊譽與認可。

「雙雙對對栖窩裡，旋頭轉目咕咕語。一直嘮叨我入睡，夢中宛如回到家。我倆一同去大隊，歡聲伴著晨風吹。」這首詩的內蘊與外延，大概寫的是，詩人外出追債歸家後，由於分離的原因，思家思妻的緣故，夫妻二人徹夜難眠，高興興奮之餘，將其滔滔不絕的思念、出差的許多經歷，便也就在臨睡前，順理成章地流淌出來。而且，所處的環境，竟然是床塌錦衾之間。竟然是自家的暖房炕上。詩人此刻的心境、思念、疲倦，在妻子的身邊，竟彼此高山流水般的傾瀉而出，卿卿我我地直到彼此入眠。

這背詩，詩人情的表達、如膠似漆；意的描述，如火如荼。短短六句，已將夫妻之間的恩愛，思念之情，表述得如瓢潑大雨般酣暢淋漓。

其第三把刷子，旨在引導讀者，每一人的成功不是天上掉下米的餡餅，而是其本身不懈的努力、打拼的結句。是堅定信念、勇往直前的自信與堅毅，是一種越挫越勇的士氣，是堅韌不拔毅力的結晶、結局。

金土老先生的一生，始終是不懈地努力與追求著自己，他的堅持，他的崛起，是在他不屈不撓的奮進中所獲取和贏得的。因此，幾十年下來，他至始至終都秉持著無往而無不勝的堅強信念。秉持著有付出就有收穫的理念。他實現了「要笑到最後」的諾言，刊物期期的按時出版，也完全能印證他的信念是堅不可摧，牢不可破。

他的一首《七言詩》：「單位黃攤地收回，斷了皇糧費思慮。熟雲瞪眼瞎胡造，將來定能創大績。南郭改行做水暖，鋌險雖成款難追。甲方坑乙乙騙丙，我也不是好東西。」這首詩裡、詩人口誅筆伐社會現象的同時，同樣也毫不吝嗇地將筆尖，戳向了自己。這種自嘲自剖的寫作手法，這種敢於自我開炮的膽量，實屬難能可貴，又是見仁見智之舉。看到了這首詩，瞬間讓我們大家又回到了改革開放的初期，看到了那種社會百態、亂象的點點滴滴，現在我們讀詩回憶起來，真的是有些可笑、可諷、可譏，讓我們在灰色幽默的過往裡，看到了人性的本質與崎嶇。因此，這也就是能夠得到陳福成師老認可的一個截取。

詩人此刻的這種自嘲自諷自笑的筆法，開拓了他自己幽默、滑稽的寫作風格，也印證了他勇於鞭笞社會醜惡，大膽解剖自己的創作思緒。

其第四把刷子，旨在詩意的人生、詩意的精魂，是他努力向前邁進，也是他永不言敗的法寶與利器。其表現在她的操守與沉默，他的處驚不變、他的老辣和勇敢，許久以來的辦刊與創作中，他的靈魂與心宇，他的堅持與努力，宛若是他手中的一柄利劍，無論何時何地，只要刀出鞘，就一定會所向披靡，戰果累累。正是因為金土老先生擁有了如上這些涵養與魅力，所以，他的梧桐樹，才招得了無數的鳳凰來；招得了台灣德高望重的大詩人—陳福成老師的欽羨與厚愛，不惜犧牲三年時間，為其「樹碑立傳」，為其用自己最鮮紅的血液，滴滴點點。滴落在我們家鄉的詩壇，讓我們更加多面鏡般地去深化解讀和認可他的勞動、研究與汗水：去研究和消化他書著中詩歌裡邊的骨骼與精髓。金土老先生給我們的印象，是個沉穩的人，是個不多言語的人。但他絕不愚鈍，如遇險境，危機四伏，凶象橫生，惡浪洶湧，他能勇立潮頭，紋絲不動，以靜制動，走出困境，表現出真性情真漢子真詩人所應有的氣概。然而，二〇一五年的那場風浪太大了，簡直是風浪拍天，還是沒有能夠讓他逃過劫難，爹娘賦予他的血肉之軀倒下了，住進了綏中醫院，在病床上，一躺就是數月。他在《病中詩筆記》一書《開頭語》裡這樣寫道：「莫提乙未年、差點去陰間。見到閻王爺，苦求才又還。」這首詩記錄了他與病魔搏鬥的真實情景，全憑他意志堅強，硬把自己從死亡線上拉了回來。出院後，沒等徹底康復，就又奔上詩歌寫作編刊的疆場。在葫蘆島一次詩人小酒會上，《鄉土詩人》主編楊鐵光、《港城詩韻》主編馬長富，異口同聲地稱贊道：「這就是金土精神」。我更敬佩他的韌勁、敬佩他的無堅不摧、敬佩他的「獨有英雄驅虎豹，更無豪傑怕熊羆」（毛澤東《冬雲》）的秉性與精神。

屈原在其自己不得志時曾經這樣寫道：「路漫漫其修遠兮，我將上下而求索（《離騷》）

「勇氣也許不能所向披靡，但膽怯根本無濟於事」。（注《公主日記》），筆者認為，一個人的追求與付出，它是與其成為一個人的成功或者失敗與否而成正比的。如果你見硬就縮，受挫就怯，那麼，你將永遠是被困在自己所設定的籠子裡，永遠平淡寡味、波瀾不驚、甚至停滯不前，乃至後退永遠。

我們每個人試想一下，倘若金土老先生見到挫折、受到打擊就打退堂鼓，就退縮後方，那麼，一個德高望重的高校學者，一個滿腹經綸的台灣老師，怎麼會犧牲三年的時間，去為一個名不見經傳的真詩人而樹碑立傳？

金土老先生從一開始，就界走了自己的理想和藍圖，在自己幾十年的拼爭、奮鬥、努力中，矢志春秋詩作弩，咬定青山不放鬆；終於博得雲開見霓虹，贏得了自己的尊嚴、進步與一片喝彩之聲。

二〇二〇年二月十八日於新世紀閑閣落筆

輯六　《華夏春秋》頌詩

給台灣《華夏春秋》雜誌主編陳福成

金 土

他是炎黃子孫
他是播種在孫中山上
孔子學院精心培育的一棵樹
根深幹壯，枝繁葉茂
幹裡流淌著中華民族的血
葉上寫滿了春秋正義
可台灣的海風很大
曾把樹枝吹搖、樹葉吹擺
扎在祖籍四川的根
卻從未被吹得搖擺

刊二〇一一年秋季號台灣《葡萄園》詩刊

關於更改刊名的思考（外一首）

金　土

起初叫「凌雲」，後更名「詩海」。
今又改「華夏」，諸君應明白。
其中必有因，絕非胡亂來。
不知冥冥中，將還咋安排？
二〇一四年六月一日口占
回望路漫漫，幾逢雨雪天。
出刊廿四期，從未怕過難。
更喜爭入會，與我結金蘭。
俠心曾發誓，永給做執編！

刊台灣二〇一四年第一期《華夏春秋》詩刊（大陸版）

贊「接辦」

本刊書脊上寫「總第二十六期」的由來：

二〇〇八年創辦《凌雲詩刊》，辦到六期，《詩海》詩刊接辦；《詩海》詩刊辦到十七期，台灣《華夏春秋》詩刊（大陸版）接辦；台灣《華夏春秋》詩刊（大陸版）僅辦二期，《詩苑》詩刊接辦。

接辦呵接辦，到季出刊，從未間斷。如果把二〇〇八年創辦《凌雲詩刊》前的籌備幾個月計算在內，便會知道辦刊之路已走過了七年。這七年中，還曾辦台灣《華夏春秋》報十五期。越辦越上檔次，越辦越有經驗。請相信吧，今後一定能辦得更加光輝燦爛！

刊二〇一四年第一期《詩苑》詩刊

讀金土創辦《華夏春秋》大陸版感賦

山東　侯英漢

金土，金土，詩界的金土，
你這東北黑土地上的厚土。
滋養了千百萬中華兒女，
打敗了敢於入侵中華的倭奴。

金土，金土，詩界領軍的金土，
你廣泛聯繫兩岸的愛國詩人。
在大陸上創辦了兩岸共有的刊物，
這刊物就是詩刊《華夏春秋》。

《華夏春秋》是兩岸人民心靈的坦途，
兩岸人民可在這裡作深入的交流。
而這文化上全面而又深入地交流，
就正是全國統一的堅實基礎。

金土，金土，詩人們愛戴的金土，
我要為你這偉大創舉而歡呼。
你為人民做出了如此巨大的貢獻，
在全世界詩人裡恐怕也少有。

刊台灣二〇一四年第二期《華夏春秋》詩刊（大陸版）

讀第二期《華夏春秋》（大陸版）感賦

——兼贈台灣《華夏春秋》雜誌社社長陳福成先生

金　土

繼第一期《華夏春秋》（大陸版）出版發行，
第二期《華夏春秋》（大陸版）又隆隆降生。
簡直是神娃，在母體內只懷胎仨月，
卻非常健壯，壯得像一座山峰。

看著有形卻無形，
看著阮啥卻有特殊本領。
特殊得能讓日月潭水同長江黃河一齊奔流，

特殊得能手托日月星照耀庶民的心靈。

讓我們熱愛她吧！
「宣揚中華文化」—用一千個真誠；
讓我們跟隨她吧！
「闡揚春秋大義」—用一萬個雷霆。

「廿一世紀是中國人的世紀」，
有多少艱巨任務就有多少光榮使命。
做為炎黃子孫，安能不讓華夏春秋，
含《華夏春秋》（大陸版）的中國夢譜寫成功！

註 「」裡的字皆引自陳福成寫給金土的信。

刊台灣二〇一四年第二期《華夏春秋》詩刊（大陸版）

《華夏春秋》詩刊誕生抒懷

金　土

記住吧！二〇一四年的夏季，
鮮花盛開，樹木蓊郁。
《詩海》詩刊已創辦四年又三個月，
《華夏春秋》報剛編到十三期。

如果説《華夏春秋》報是我的天，
《詩海》詩刊就是我的地。
沒有天的關愛、地的養育，
我的生活怎能充滿生機、那般壯美？

就在我無比自豪、心存感激之際，
《華夏春秋》詩刊又呱呱墜地。
她剛一誕生，就舉世矚目，
全身披滿了日光星輝。

相信她吧！《詩海》詩刊的會員們，
和《華夏春秋》報的訂閱者們，
她將奉行按季出版的老規矩，
她將讓你們的才智得到更大的發揮！

《華夏春秋》二〇一四、一期

京東三月（外三首）

金土

煙花三月赴京東，萬幢瓊樓披彩虹。
不是英明習（註一）領導，哪來民振國家興。
註一：習，指習近平主席。

夜看明月

最喜京東景萬千，倚樓月下看新鮮。
姮娥曼舞舒長袖，滿地白銀似故園。

凌晨聞雞

忽聽雞叫兩三聲，不必觀天是幾更。

頭頂銀河流不盡，東天又現一顆星。

天明出發

啓程好似箭離弦，直射京東十萬山。
詩友登樓猶在望，輕騎已到彩雲間。

《港城詩韻》二〇一七、三期

致《港城詩韻》眾友人

本刊顧問 畢彩雲

在黑土地上扎根、誕生、成長，
終於長成美麗的長青樹。
每一個枝權、每一片樹葉，
都在旺盛著詩的模樣。

海浪花為她綻放，
東戴河伴著韻律流淌。
詩人們噴湧著時代的激情，
無盡的情懷蘸著筆墨飛揚。

渤海之濱是詩人的故鄉，
高尚的靈魂是生命的輝煌。
繽紛的藝苑迎接日落、日出，
聽海浪翻卷，看海燕飛翔。

古老的方塊字跌宕的組合，
排列成綠色的詩行。
那是長青樹的碩果累累，
正在蘊育著明天的希望。

《港城詩韻》二〇一七、四期

贊金土兼贊陳福成

遼寧　安九振

從屈原公司購袋種子
由李白商店買車化肥
去陶淵明家借頭黃牛
來耕耘蘇東坡金色的土地
近些年連獲豐收
迄今已出版六部詩集
台灣大作家陳福成著書「金土作品研究」
得到國內域外文人雅士稱贊不已
那是因為陳大作家研究出
金土的作品「通民脈、接地氣」（註一）

那是因為陳大作家發現了
金土的作品是在習近平文藝思想
陽光照耀雨露滋潤下創作出來的

註一 摘自陳福成《中國鄉土詩人金土作品研究》第十九頁

《華夏春秋》二〇一八、一期

致台灣著名作家陳福成先生

金　土

大陸台灣一祖宗，
隔山隔水不隔情。
吾編「華夏」（註一）皆褒語，
君創「春秋」（註二）盡贊聲。
吾愛鄉風吾總寫，
君謳國韻君常評。
更因王老（註三）誠相助，
才使期刊火樣紅。

註一　「華夏」

註二　「春秋」，皆指《華夏春秋》期刊。

註三　王老，係《詞壇》雜誌執行主編《華夏春秋》詩刊總顧問王繼祥先生。《華夏春秋》二〇一八、三期

二〇一八年六月十六日於綏中水韻奧園

《華夏春秋》解析

本刊主編　楊玉清

《華夏春秋》季刊已度過了戊戌年的春秋冬夏，
這四個字的刊名，很多人不十分理解她，
我不揣淺薄，試作解釋，
一并請教於文史專家。
衣裳美麗謂之「華」，禮儀之大謂之「夏」，
中國版圖即美又大，所以稱為「華夏」，她的另一美稱叫大中華，
不偏不倚謂之中，山河壯麗稱為華，
中華人民共和國就是五十六個民族，十四億人民的家。
這裡當然包括台、澎、金、馬所有同胞，
因為我們都是龍的傳人，黃皮膚、黑頭髮。
為什麼稱「春秋」，而不叫「冬夏」？

這兩個字包含著深厚的歷史文化，
她不是春華秋實的季節名稱，也不是春秋正富的人生年華。
「春秋」是兩千多年前戰國之前的一個時代，長達二百九十四年，
當時魯國的編年體史書就叫「春秋」，聖人孔子曾修訂過它。
因為史書「春秋」記載了二百三十一年群雄「爭霸」的亂世。
故而後人便將這「五霸」稱雄的歷史時期常稱為「春秋」，而不叫「冬夏」。
「孔子作春秋而亂臣賊子懼」，因為一字入春秋，九牛不可拔。
一字之貶，嚴於斧鉞，秉筆直書，賊人怎能不害怕？
《華夏春秋》季刊二〇〇五年十月誕生於寶島台灣，
原名叫《中國春秋》，發行四期後，「中國」改為「華夏」，
出完第六期，便於二〇〇七年元月因種種原因「打烊」。
主要原因是陳福成社長對蠅營狗苟的「綠營」份子口誅筆伐，
那些數典忘祖、挾洋自重的賣國賊怎能容得下她？
如今，這株大樹移植在祖國母親的懷抱中，沐浴在神州的陽光下
我們一定要讓她一天天長大，開花結果，永遠挺拔！

《華夏春秋》二〇一八、四期

讀金土《編刊四十期抒懷》感賦

本刊主編　王文成

近水樓台先得月，由於與金土先生同住一個小區，經常接觸，他的《編刊四十期抒懷》七言絕句剛一問世，就被我讀到：

不知不覺四十期，雨打風吹多少回。
只要諸公都愛看，我將繼續將鞏擂。

讀後，令我頗為感動，不禁油然聯想。自二〇〇八年以來，金土先生先後執編《凌雲》、《詩海》、《詩苑》、《港城詩韻》、《華夏春秋》五個詩刊，共出版發行四十期，達十一年之久。他長期堅持不輟地編輯文藝期刊，如詩中所言「雨打風吹多少回」，那絕不是一帆風順、道路平坦，而是荊棘叢生、步履維艱。辦一件事易，做一件好事易，辦一份期刊難啊！要籌集經費，要徵稿，要編輯，要校對，要付印，要郵寄……

金土先生不嫌難，不嫌煩，諸事親自經手，歷經多少個不眠之夜，多少次絞盡腦汁，真可謂朝思暮想、兀兀窮年，他皺紋深了，頭髮白了，不過精神卻比過去更好，更允沛了。這也算是一個奇迹。那是因為在他的心中有個大目標，有個大追求：「只要諸公都愛看，我將繼續將鼙擂。」彰顯出他「老驥伏櫪，志在千里；烈士暮年，壯心不已」的情懷，彰顯出他願把一腔熱血報效給國家，報效給家鄉父老，報效給支持他，理解他的文友和廣大讀者。這是何等坦誠，何等高風亮節啊！

倘若諸公不愛看，他經手編印的文藝期刊怕是早成了「村邊茅厕的手紙」了。他編的刊有讀者，有大量的稿源，證明它有存在的價值。我以為，我們的國家一直是精神文明、物質文明一齊抓。辯證唯物主義認為，經濟基礎決定上層建築，當經濟高速發展之時，勢必要求和促進精神文明同步前進，這是顛撲不破的真理。金土先生所以要發揮餘熱，堅持不懈，是因為他有一顆為中華文明做出貢獻的愛心、恒心和雄心。

祝金土先生文藝青春永葆，期刊越辦越好！

二〇一九年四月二十日於綏中水韻奥園

浣溪沙，著名詞家鄔大爲書贈「華刊」藏頭詩庭賦

金　土

十月十三十點鐘，
一隻鴻雁落門庭，
銜來掛號信一封。

原是詞家鄔老寫，
一張墨寶萬鈞情，
老金心內喜盈盈。

金土二〇一九年十月十三日於綏中水韻奥園

致《華夏春秋》詩刊總監劉忠禮先生

金　土

劉忠禮簡介

一九三三年六月生於杭州，一九四九年九月從事部隊文藝工作，發表詞作二千餘首，論文八十餘篇。有三百餘件作品獲獎，代表作有《紅星歌》、《在那桃花盛開的地方》、《師長有床綠軍被》、《有一個美麗的村寨》、中國游泳隊隊歌、大型組歌《平型關大捷》、大型舞劇《蝶戀花》（作詞）等。著有系列詞集四部：編著有大型辭書《歌詩韵韻》、《歌詞技法》。國家一級編劇。享受國務院特殊津貼、將軍待遇。

當我開編這期《華夏春秋》，
心頭為之一震歡喜至極的是封面人物。
他目光炯炯，衣著樸素；

他面相溫和，精神抖擻。
他就是聲名顯赫的劉忠禮先生，
綏中文化文壇上的領軍人物。
他原是綏中縣人大副主任，
是從鄉報導員一步一步提升上來的幹部。

他事業心強，習慣刻苦奮鬥，
身雖退休心不退休。
他酷愛古風絕律，已寫三千多首；
已出版詩集六本，主編文獻性書籍四部。

他每次召開出版發行會，
都邀我參加，把我當成最好的文友。
我一百二十個尊敬他，才把他聘為我刊總監，
監督我沿著習總的文藝路線永同前走。
二〇一九年九月十八日於綏中老幹部大學

《華夏春秋》二〇一九、四期

著名作家、詩人王毅《詩刊是橋梁》讀後

本刊主編　金　土

經過二〇〇八至二〇一九年十一年的風風雨雨，
我執編的詩刊已出版發行到四十一期。
多少艱辛，多少歡喜，
此刻全都化作激動的淚水。

最讓我激動的是四十一期刊的封面，
刊登的是美籍華人著名作家、詩人王毅。
他已八十六歲高齡，
風華不減當年，還是那樣神采奕奕。

更讓我激動的是四十一期刊的封底，
刊登的是國際著名詩評家王超，王毅的親弟。
他哥倆都是《華夏春秋》詩刊的顧問，
和我有著誠摯深厚的情誼。

呵！王超；呵！王毅，
讓我們哥仨老當益壯，都不歇筆。
都著作等身，都為人類留下寶貴的精神財富，
都為中華上下五千年的文明歷史增添光輝！

《華夏春秋》二〇一九，第三期

呈著名詩人、歌詞作家石祥老

金　土

「碧玉妝成一樹高，
萬條垂下綠絲條（註一）。」
多麼輕柔，多麼妖嬌，
多像今人全都崇拜的石祥老。
他書我的《雪日》詩，
那可是價值連城的墨寶。
刊登在《華夏春秋》的詩刊上，
引多少五洲四海的讀者觀瞧。
我看見美國著名作家王毅，
舉起拇指大加稱贊，

我聽到神州著名詩人秦旺，
口若懸河不停地評道：
金土是著名的鄉土詩人，
海外都已知曉；
石祥是中國音樂文學學會副主席，
他創作出的《十五的月亮》歌詞，
是經典之作，已唱紅一個時代，
已像十五的月亮那樣明亮，
在那蔚藍的天空上把我們照耀。

註一　此句源自唐．賀文章《咏柳》。

金土二〇一九年六月十一日於綏中水韻奧園

《華夏春秋》二〇一九，第三期

致《華夏春秋》詩刊總監劉忠禮先生

金　土

詩成多雅句，
書法亦一流。
人品極高尚，
與俺情最投。

金土二〇一九年八月二十一日於綏中水韻奧園
《華夏春秋》二〇一九，第三期

致《華夏春秋》詩刊特聘書法家趙寶來先生

家住三山（註一）下，
開軒賞百花。
文章刊「海外」（註二），
書法送三家（註三）。
范府當宣委（註四），
「華刊」做「筆俠」（註五）。
常常和老土（註六），
一塊話桑麻。

註一　三山，在綏中縣范家鄉境內。

註二 「海外」，指《人民日報》海外版。

註三 三家，指金土、袁成奇、朱寶森三位詩友家。但，何止這三家。

註四 此句說的是趙寶來先生在綏中縣范家鄉政府擔任宣傳委員七年。

註五 此句說的是《華夏春秋》詩刊是季刊，每年出刊四期，每期刊前，趙寶來先生都要給寫副書法作品相贈。故，被金土稱作「筆俠」

註六 老土，即金土。

金土二〇一九年八月十一日於綏中水韻輿園

《華夏春秋》二〇一九，第三期

贈《華夏春秋》詩刊編委李文仁友

金　土

家開門診忙，
不忘練書法。
堅持已三載，
終於成大家。

金土二〇一九年八月二十一日於綏中水韻奧園
《華夏春秋》二〇一九，第三期

輯七 《華夏春秋》書法題頌

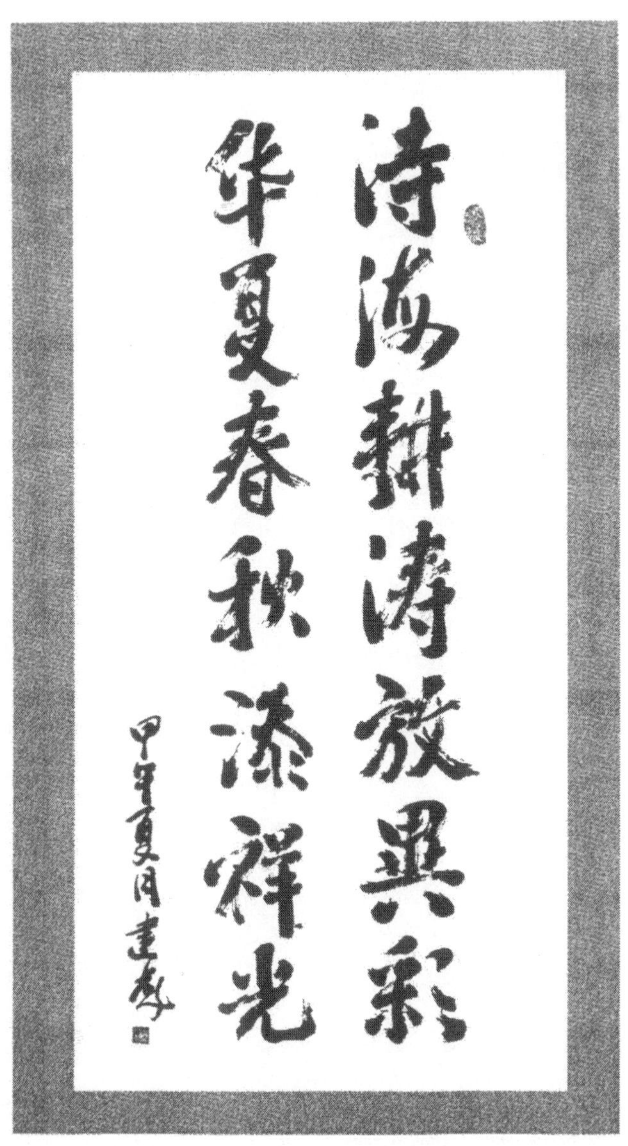

葫芦岛市环保局局长、本刊顾问罗建彪题

《華夏春秋》2014.1期.

《華夏春秋》2014、1期

中共绥中县委常委、政法委书记、县总工会主席陈增平书法

九十七岁黄埔老人著名书画家、诗人张笃志书

《華夏春秋》二〇一四·一期

著名书法家吴德恒书

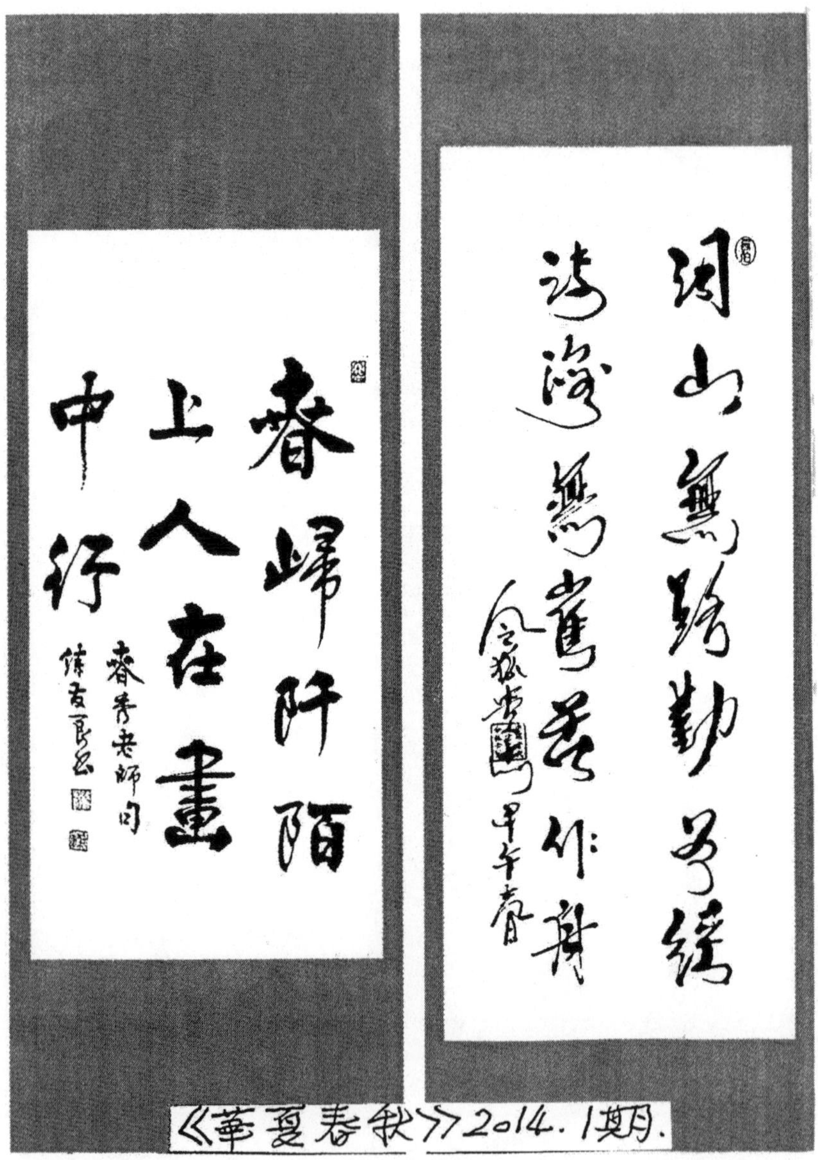

著名书法家、诗人练友良书　　著名书法家、本刊主编令狐贵忠书

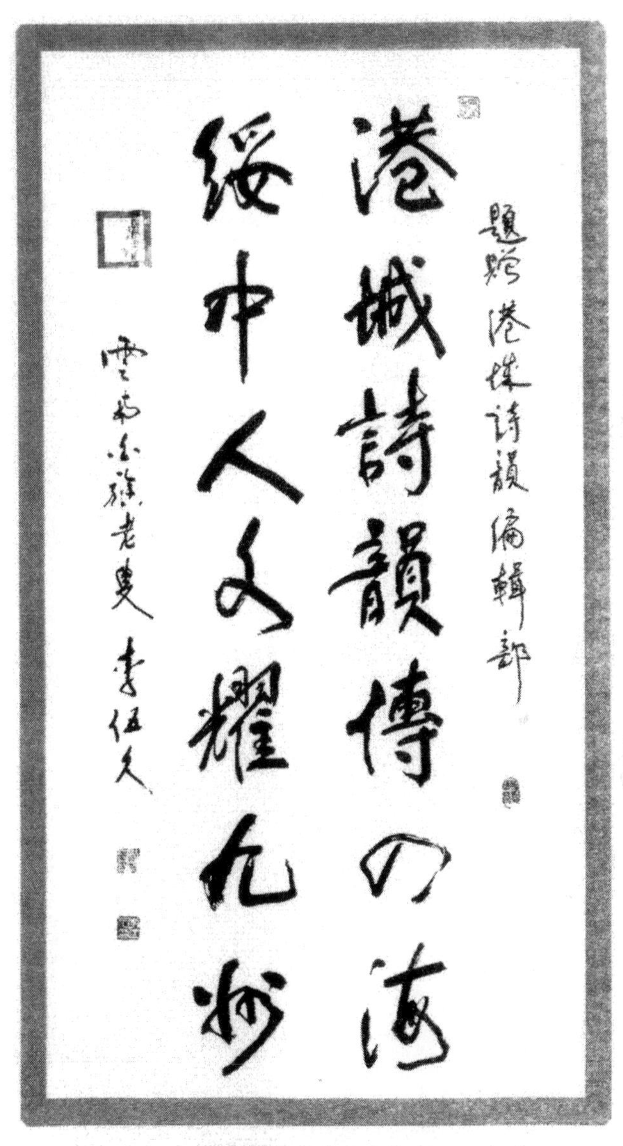

云南著名书法家李伍久书法

《港城詩韻》2017.3期

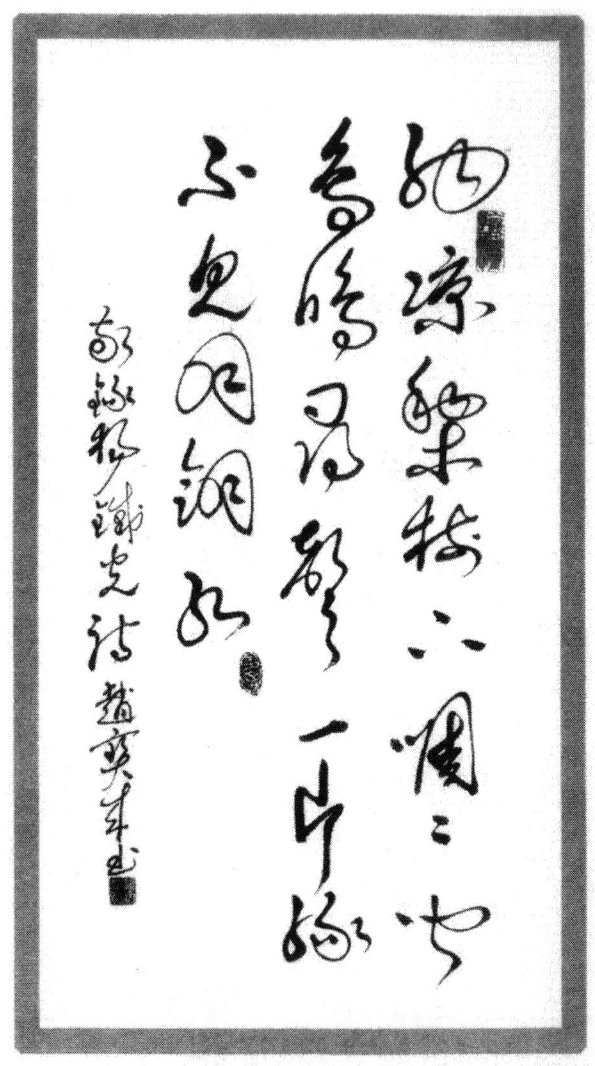

本刊特聘书法家赵宝来录《中国乡土诗人》诗刊执行主编杨铁光《纳凉曲》：《港城詩韵》2017.3期

纳凉梨树下，啁啁闻鸟鸣。
寻声一片绿，不见羽翎红。

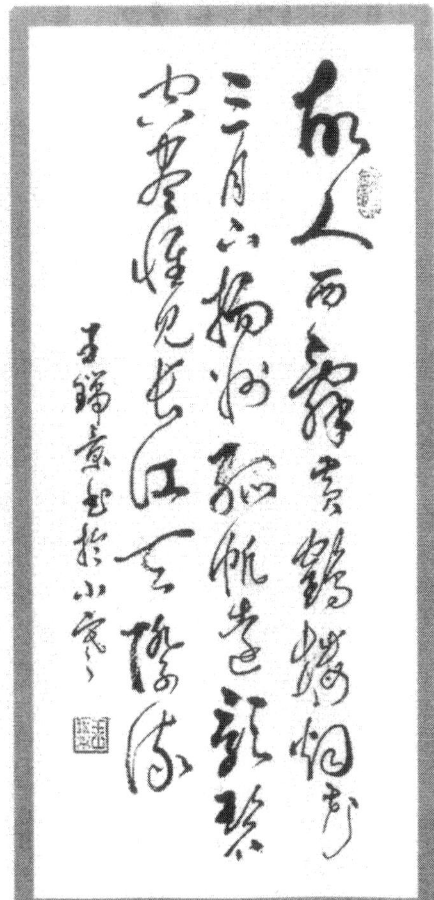

王瑞景书法

《滄城詩韻》2017. 4期

《港城詩說》二〇一七．四期

王瑞景书法

本刊总监刘忠礼书法作品

《港城詩說》2017.4期

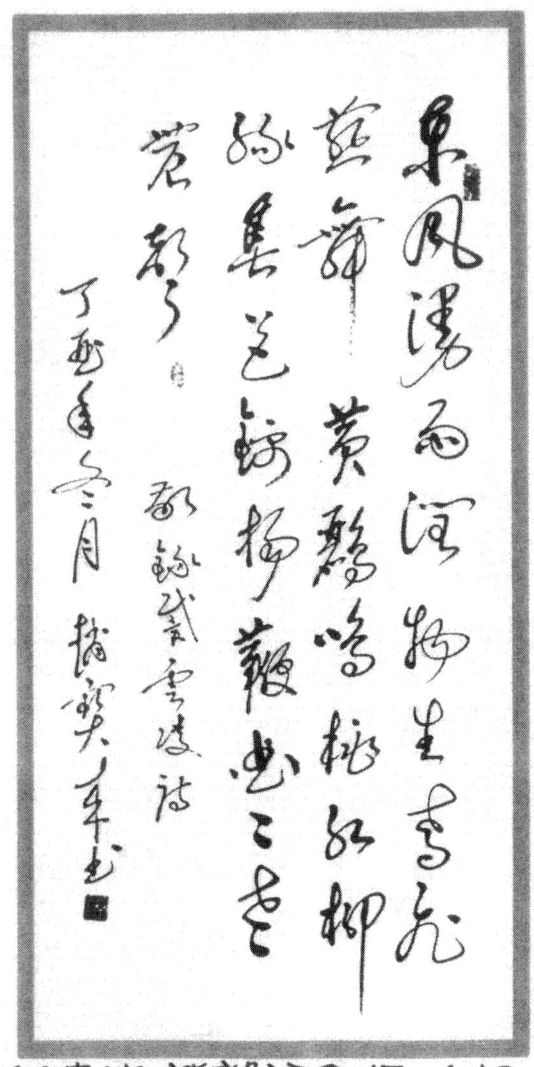

《渚城詩韵》2017·4期

本刊特聘书法家赵宝来录戴云凌诗：

东风漫雨润物生，鸢飞燕舞黄鹂鸣。
桃红柳绿春色锦，扬鞭曲曲老农声。

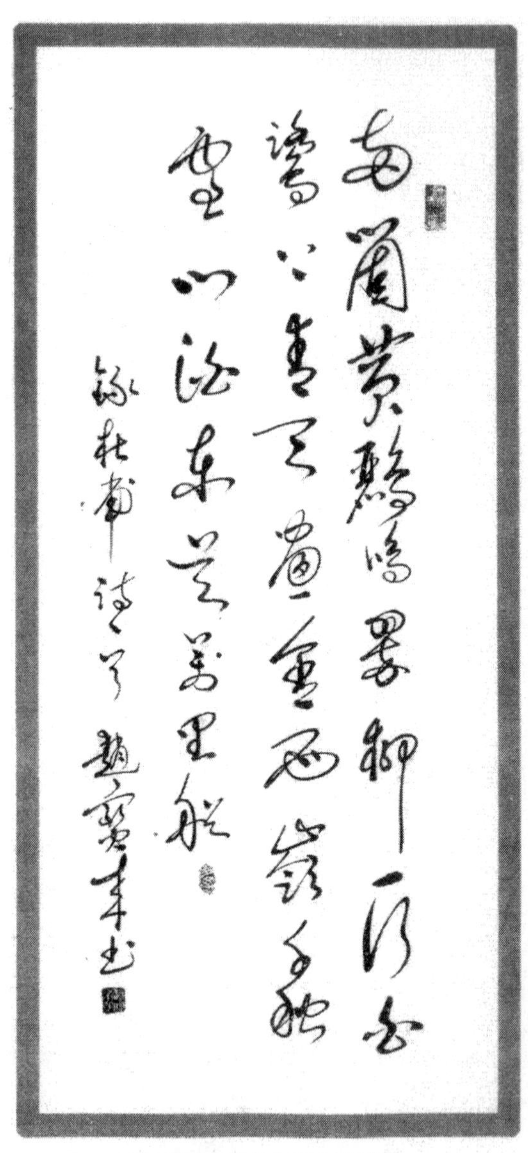

本刊特聘书法家赵宝来作品

《華夏春秋》2018.1期.

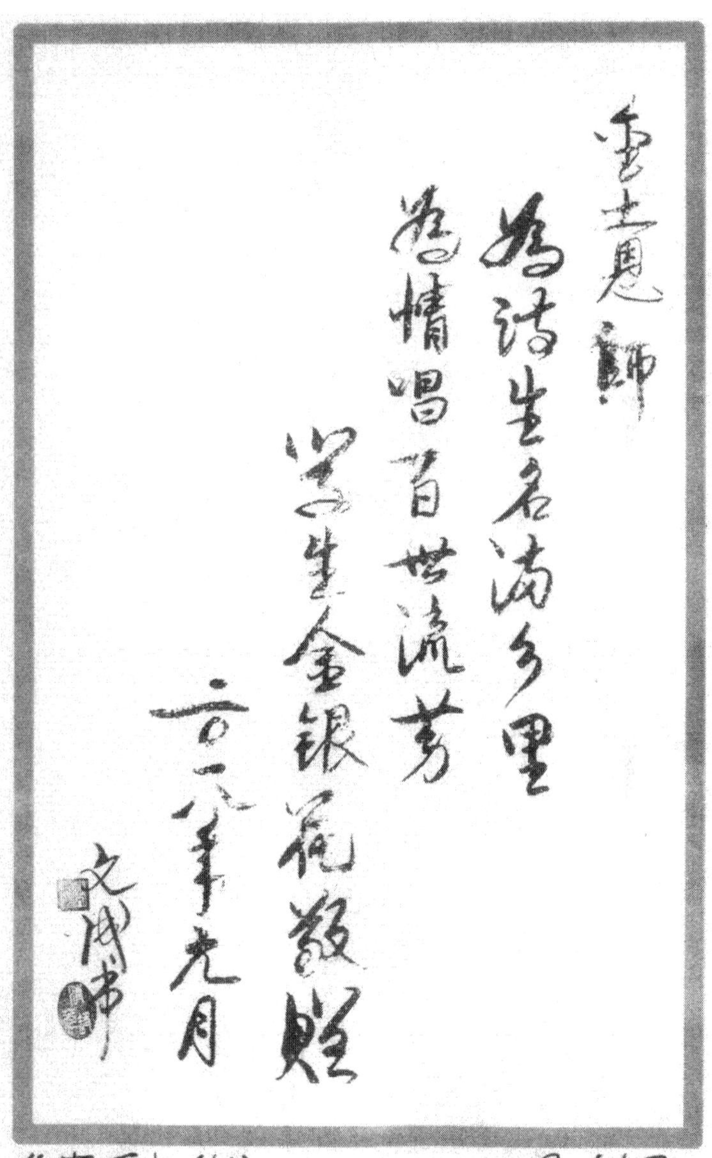

《華夏春秋》本刊顾问王文成书 2018.1期.

《華夏春秋》2018.2期.

宋　渔　著名书法家

三山你是我一生

难忘的地方！

王璐瑶

《華夏春秋》2018.2期

王璐瑶　著名影视剧青年演员

中国戏曲影视研究院最年轻的院士

《華夏春秋》2018.2期.

曹桂干　二○○一年三集贺岁电视剧《三喜临门》导演

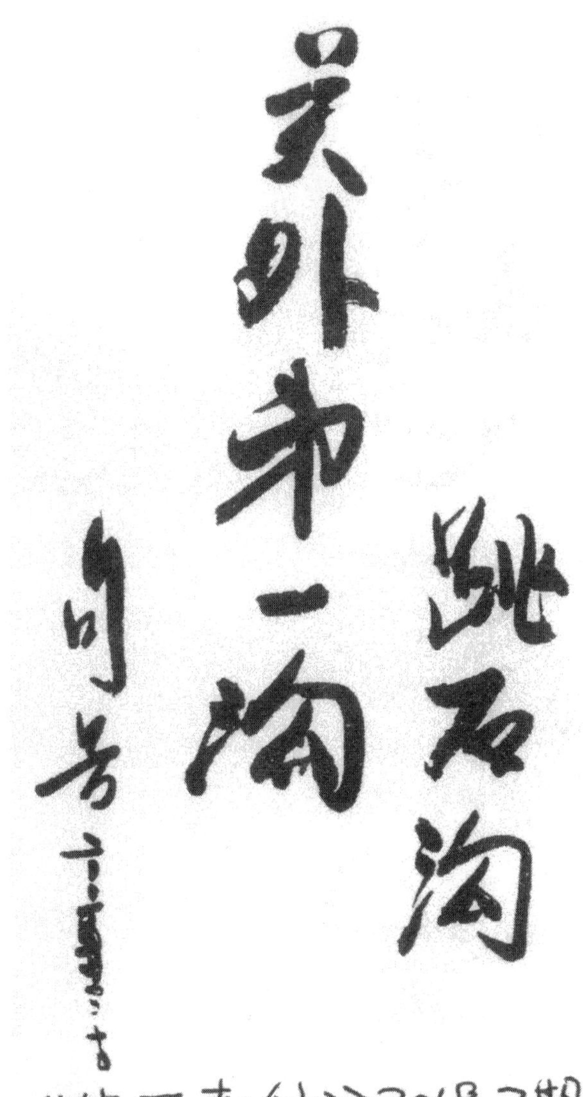

《華夏春秋》2018.2期

句　号　著名笑星、影视剧演员

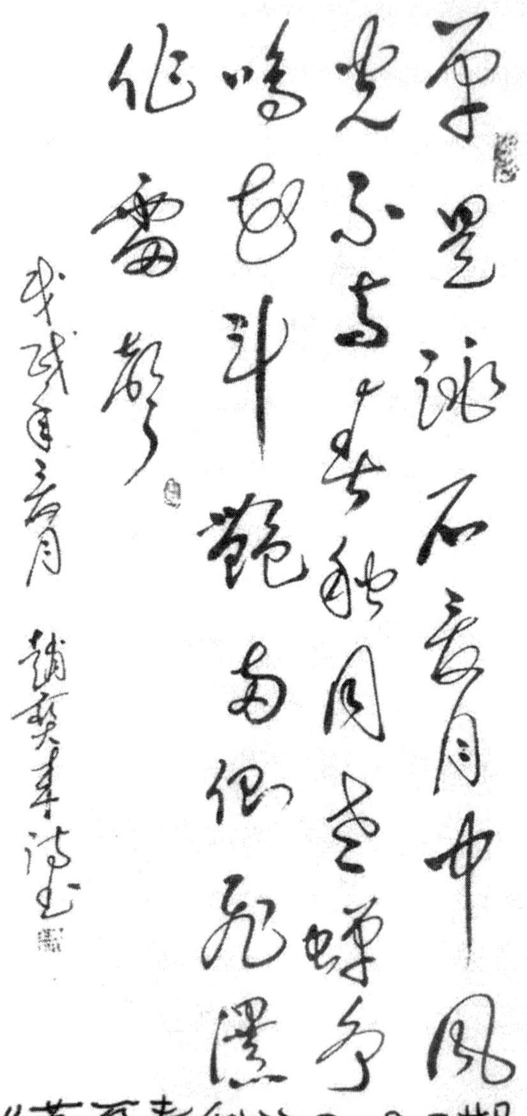

《華夏春秋》2018.2期.

本刊特聘书法家赵宝来作品

程逝寒　影視劇演員新秀

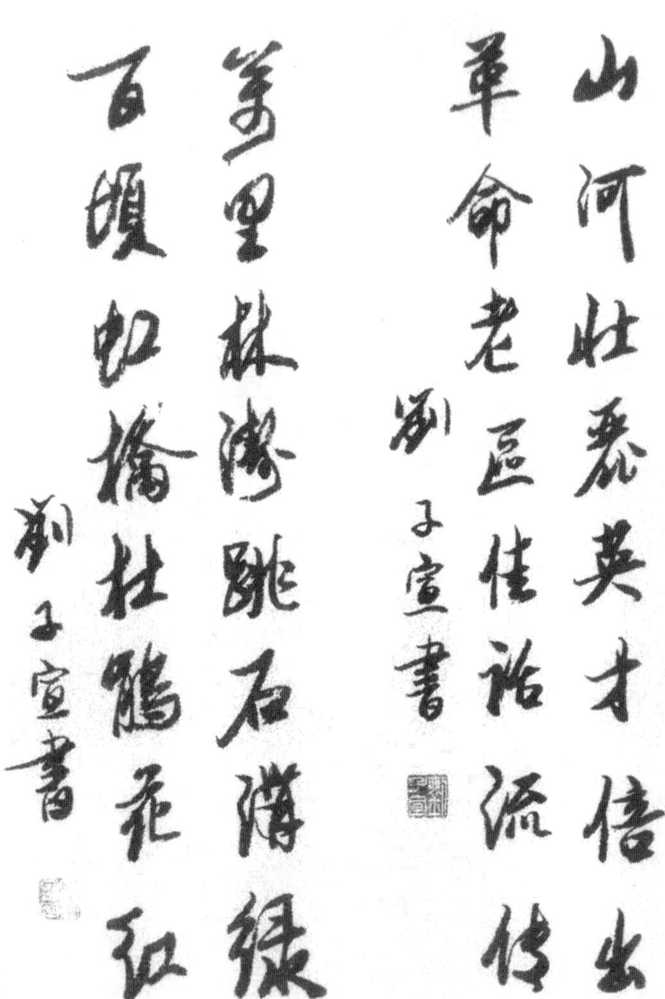

《華夏春秋》2018.2期.

书法方家刘子宣书

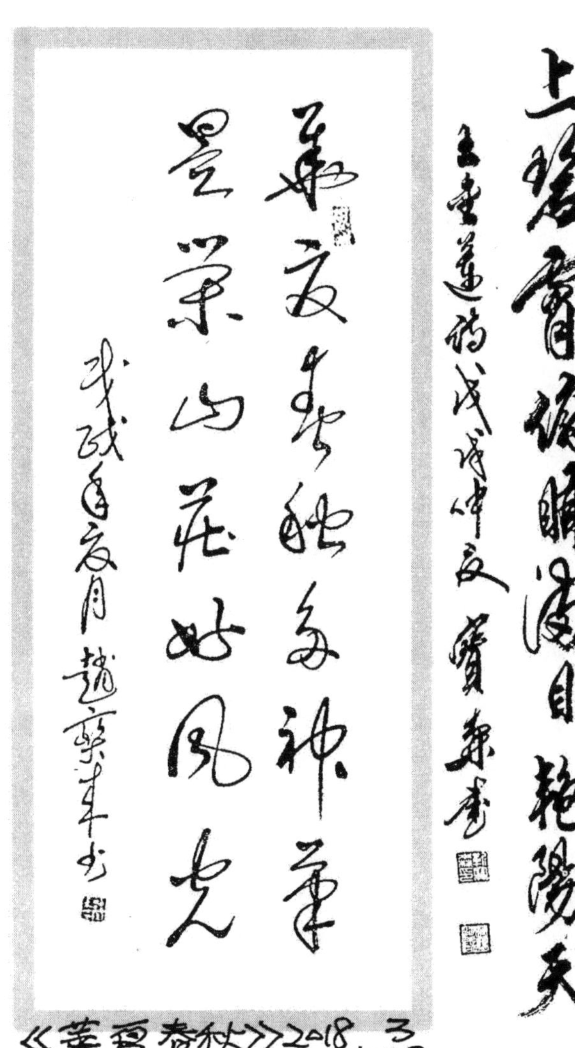

本刊特聘书法家赵宝来作品

《華夏春秋》二〇一八·二期.

书法方家靳宝森书王金莲诗

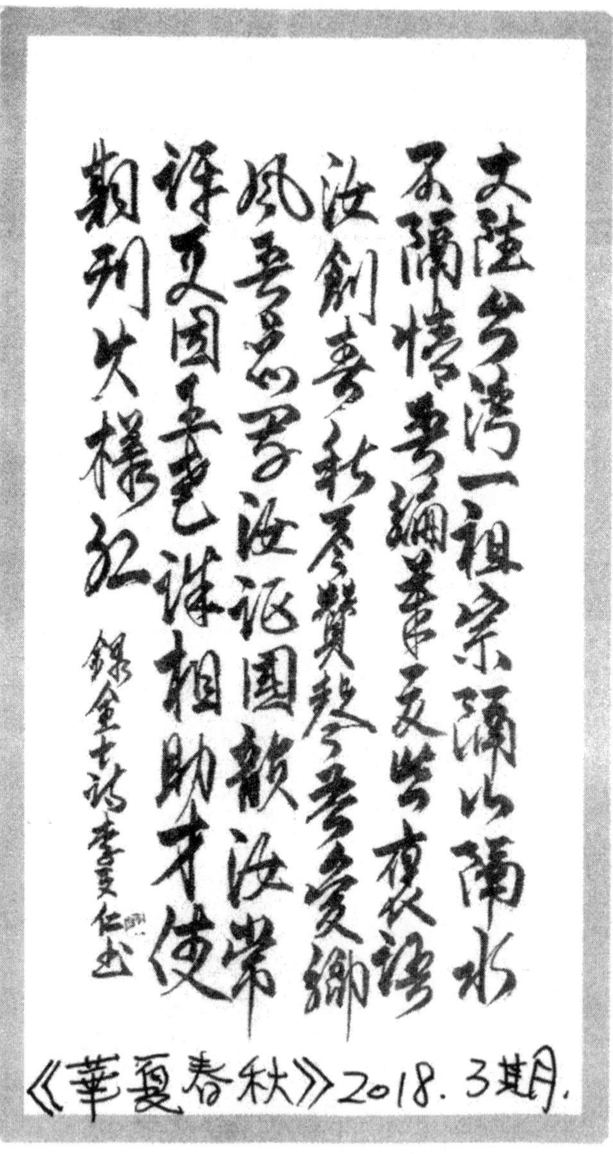

本刊编委李文仁书法

昱榮山莊前程似錦

時在戊戌夏月

遼西馬學海書

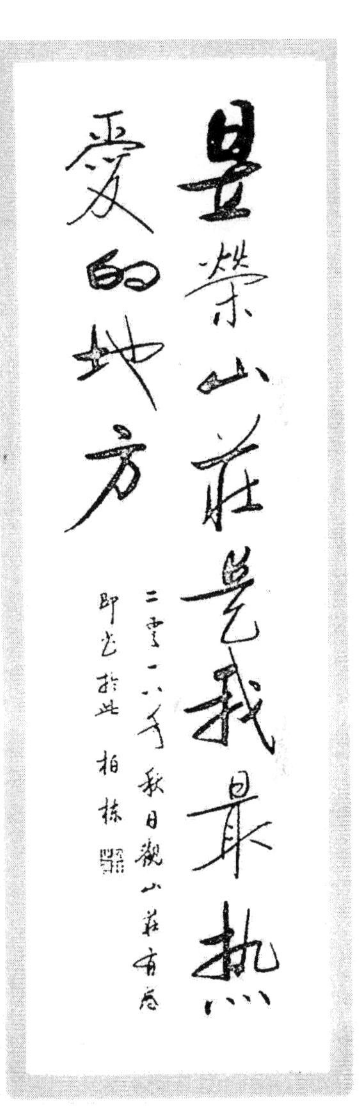

绥中书法家协会常务副主席 马学海书

书法方家柏栋作品

《華夏春秋》2018·3期.

书法方家靳宝森作品

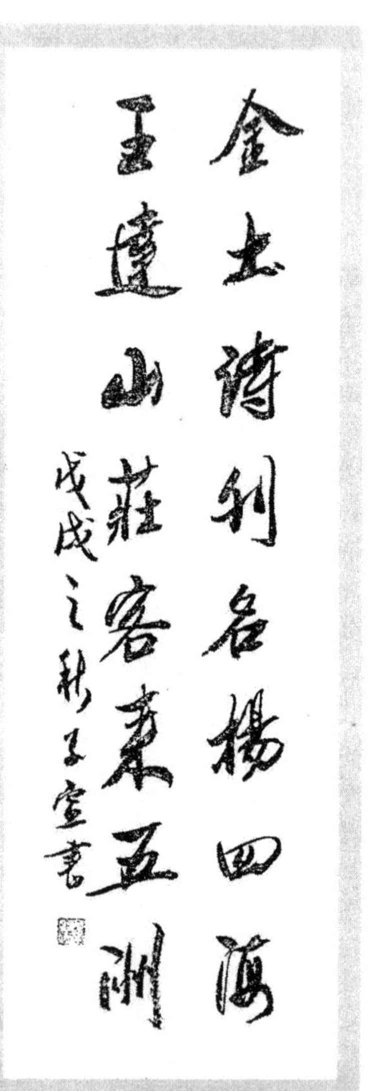

书法方家刘子宣作品

《華夏春秋》2018.3期.

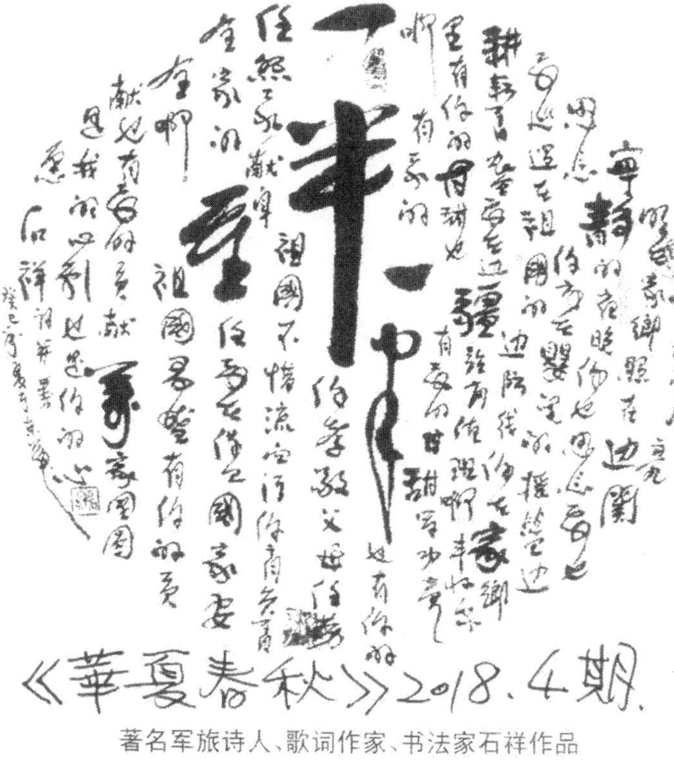

《華夏春秋》2018.4期

著名军旅诗人、歌词作家、书法家石祥作品

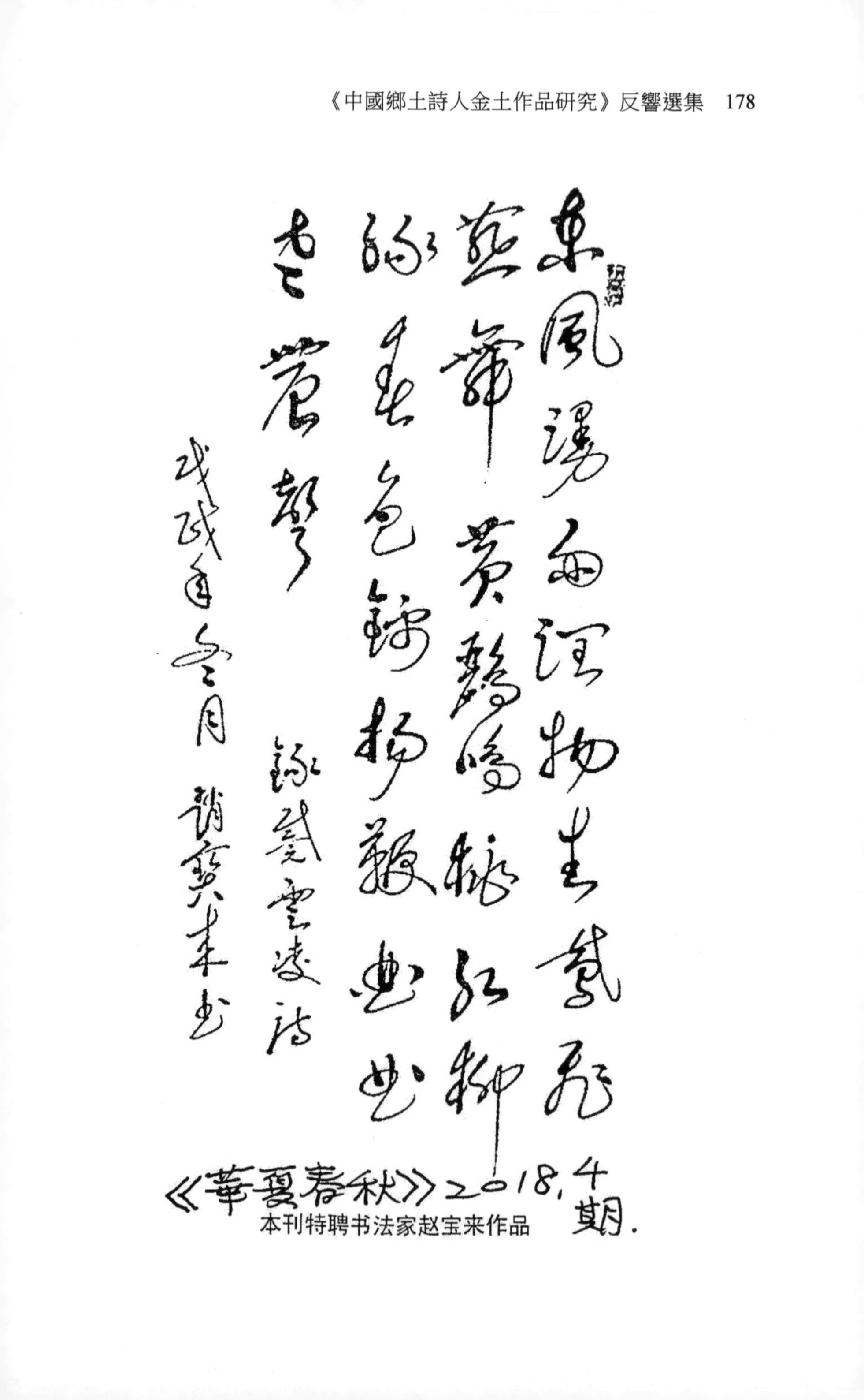

戊戌年冬月　趙寶來書

《華夏春秋》2018.4期.

本刊特聘书法家赵宝来作品

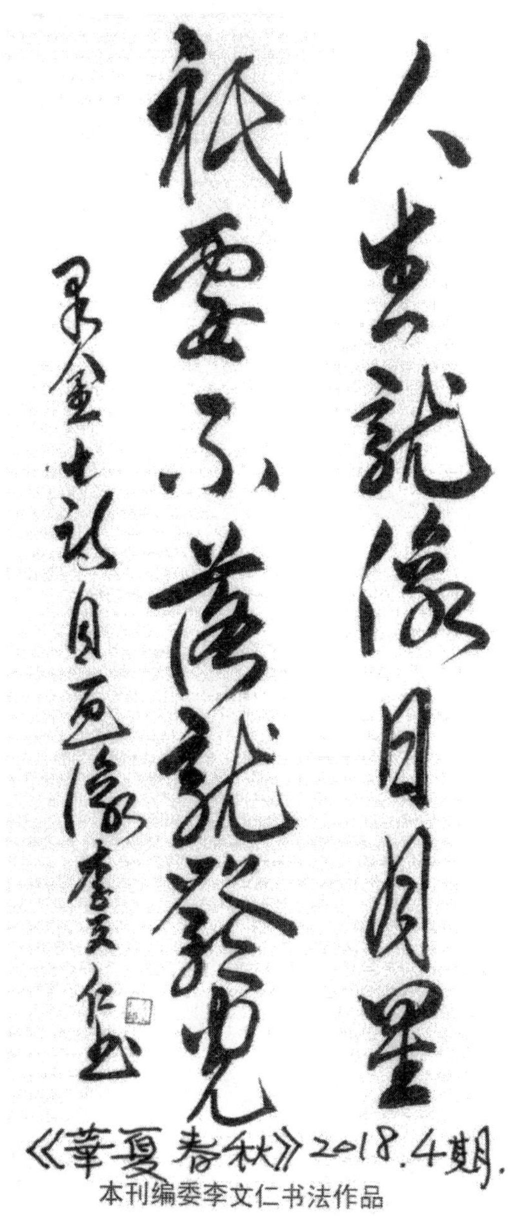

本刊编委李文仁书法作品

熱烈祝賀臺灣作家
陳福成中國乡土詩人
金土作品研究一書
出版发行！
李文仁一九年正月

《華夏春秋》2019.1期.

本刊编委李文仁书法作品

書山有路勤爲徑
學海無崖苦作舟
戊戌年劉忠禮書

心平氣順長命百歲
家和事興幸福安康
劉忠禮書

《華夏春秋》2019、1期

本刊总监刘忠礼作品

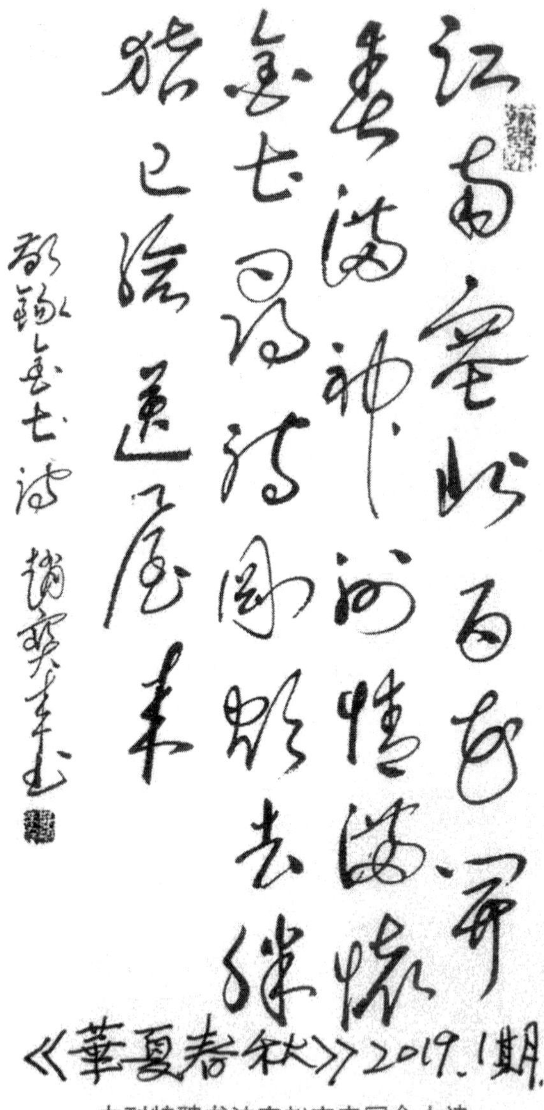

本刊特聘书法家赵宝来写金土诗

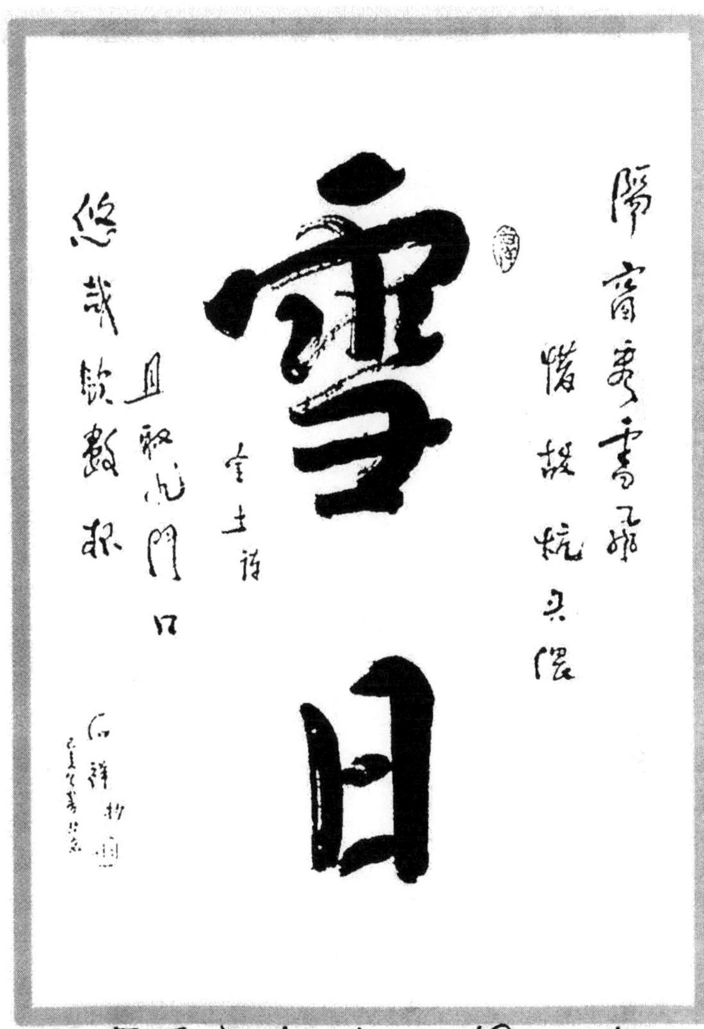

《華夏春秋》2019. 2期.

本刊顾问石祥录金土诗：

隔窗望雪飞，借故炕头偎。
且取九门口，悠哉饮数杯。

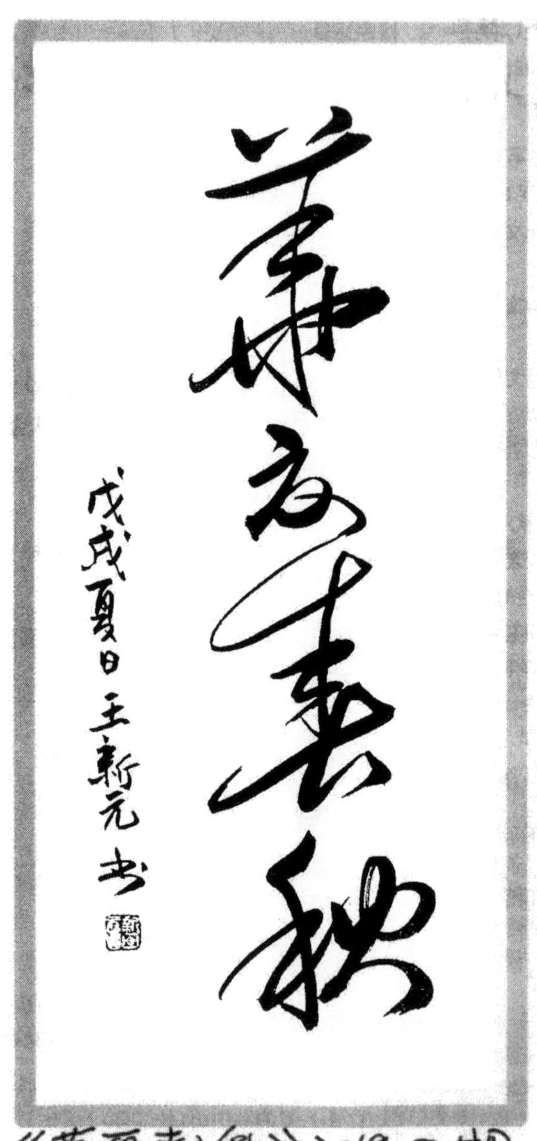

《華夏春秋》2019.2期

著名书法家王新元书赠

本刊顾问、著名军旅诗人歌词作家书法家石祥录金土《雪日》：

隔窗看雪飞，
借故炕头偎。
且取九门口，
悠哉饮数杯。

《華夏春秋》2019，第三期.

本刊总监刘忠礼书法

《華夏春秋》2019，第三期.

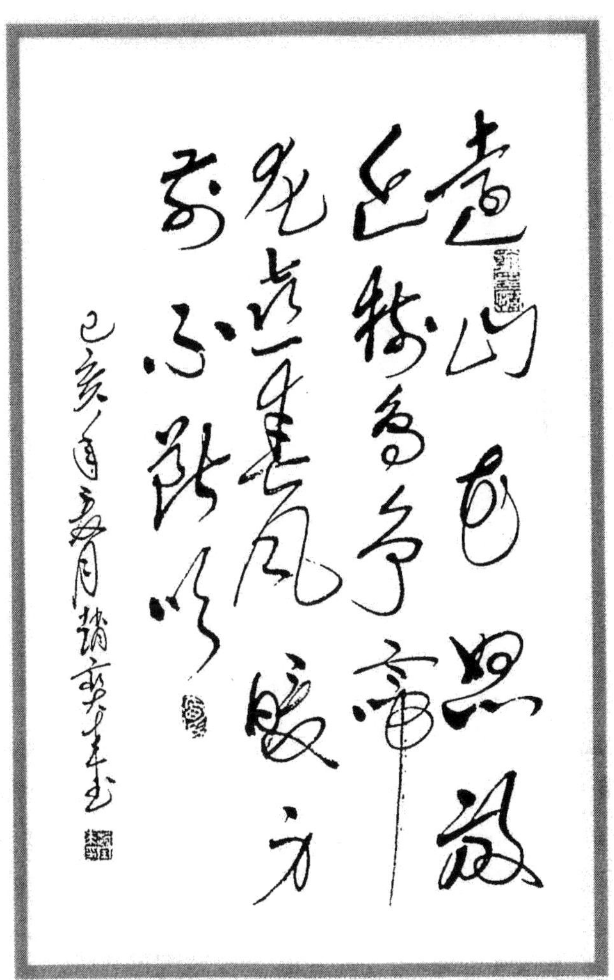

本刊特聘书法家赵宝来录金土《春日》：

远山花怒放，近树鸟争啼。
尤喜春风暖，身前不断吹。

《華夏春秋》2019，第三期.

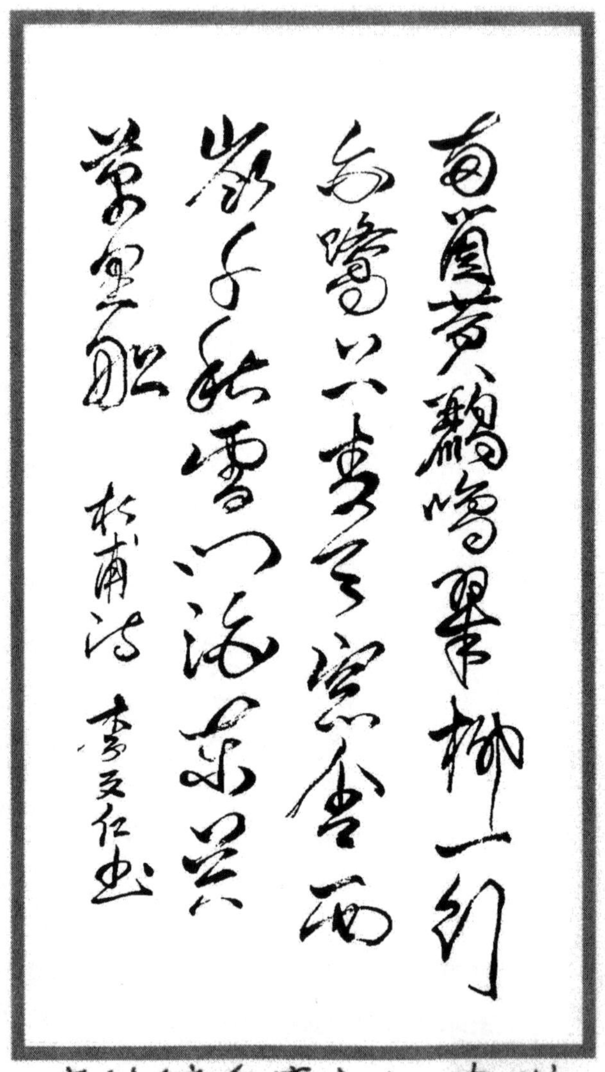

本刊編委李文仁書贈

《華夏春秋》2019.第三期.

著名书法家商述唐录金土《梦远游》：

近日常常梦远游，身背行李手提兜。
风停雨住霞光满，胸挺头昂心气足。
四海为家家尽美，五洲结友友皆优。
“华刊”陪我多欢乐，转瞬之间已入秋。

《華夏春秋》2019，第三期.

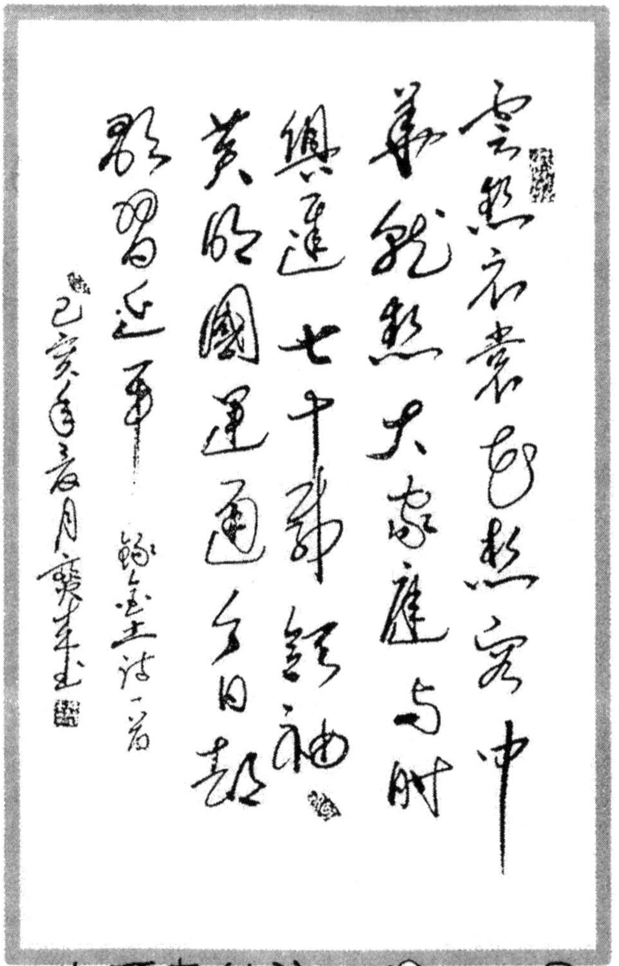

《華夏春秋》2019.2期.

本刊特聘书法家赵宝来录金土诗：

云想衣裳花想容，中华就想大家庭。
与时俱进七十载，领袖英明国运通。
今日都歌习近平。

百花吐艳

——献给《华夏春秋》

华美珍品出胸怀，
夏冬四季花常开。
春光明媚唱盛世，
秋色艳丽颂時代。
诗学唐風着神韵，
坛文当今展奇才。
新芳烁烁八方来，
花為祖国添异彩。

——藏头诗　邬大為书　2019.9.27

《華夏春秋》2019.4期.

著名歌词作家、书法家邬大为书赠《华夏春秋》诗刊《百花吐艳》藏头诗

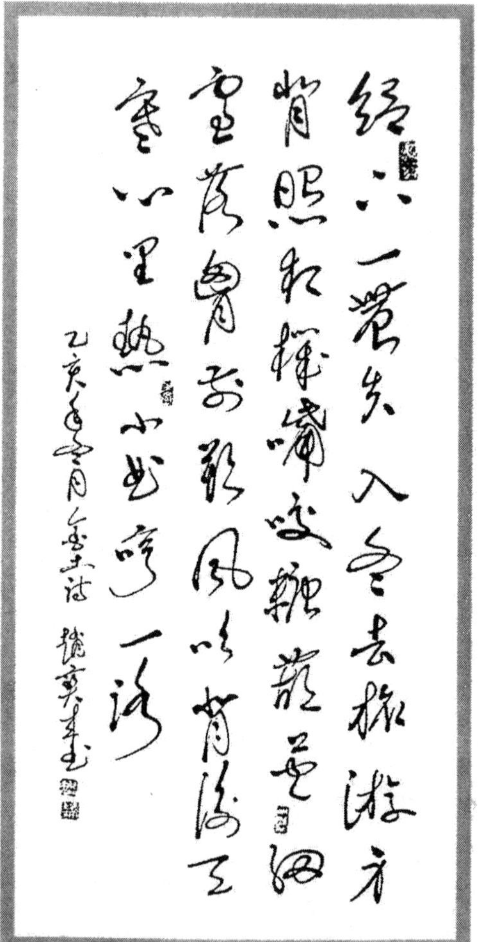

《華夏春秋》2019．4期

本刊特聘书法家赵宝来录金土《冬游》：

乡下一农夫，入冬去旅游。
身背照像机，嘴咬糖葫芦。
细雪落胸前，朔风吹背后。
天寒心里热，小曲哼一路。

本刊总监、书法家刘忠礼录金士《绥中》：

风光何处好，关外我绥中。
六股涟漪美，三山暮霭明。
花香蜂总唱，树丽鸟常鸣。
带笔游一日，诗歌又写成。

《華夏春秋》2019.4期.

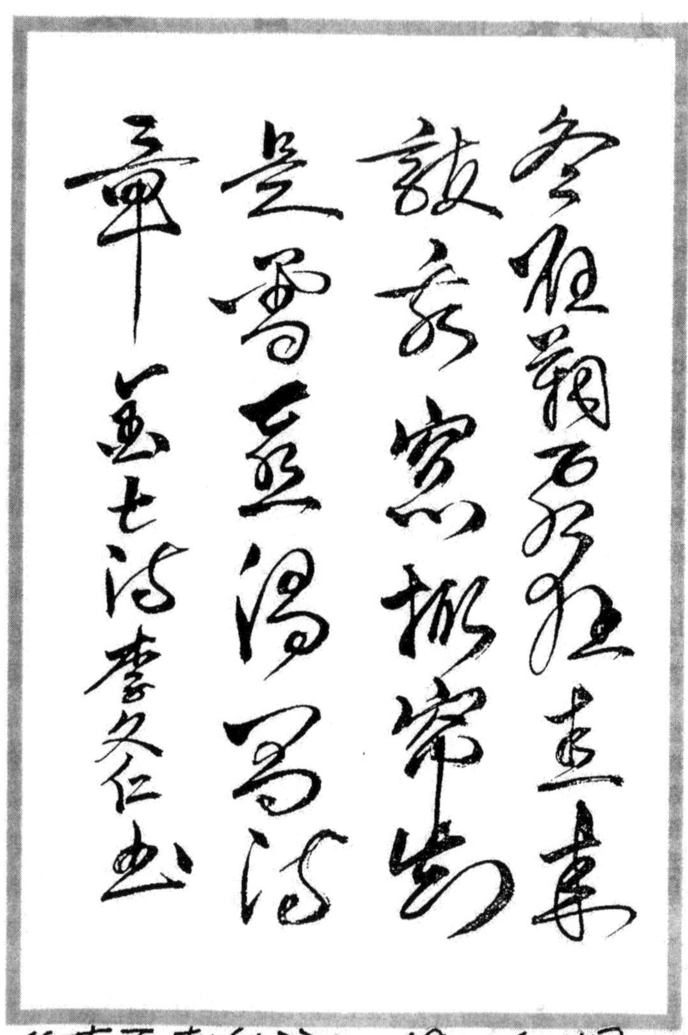

《華夏春秋》2019. 4期.

本刊编委李文仁录金土《雪夜》：

冬夜朔风狂，直来敲我窗。
掀帘知是雪，喜得写诗章。

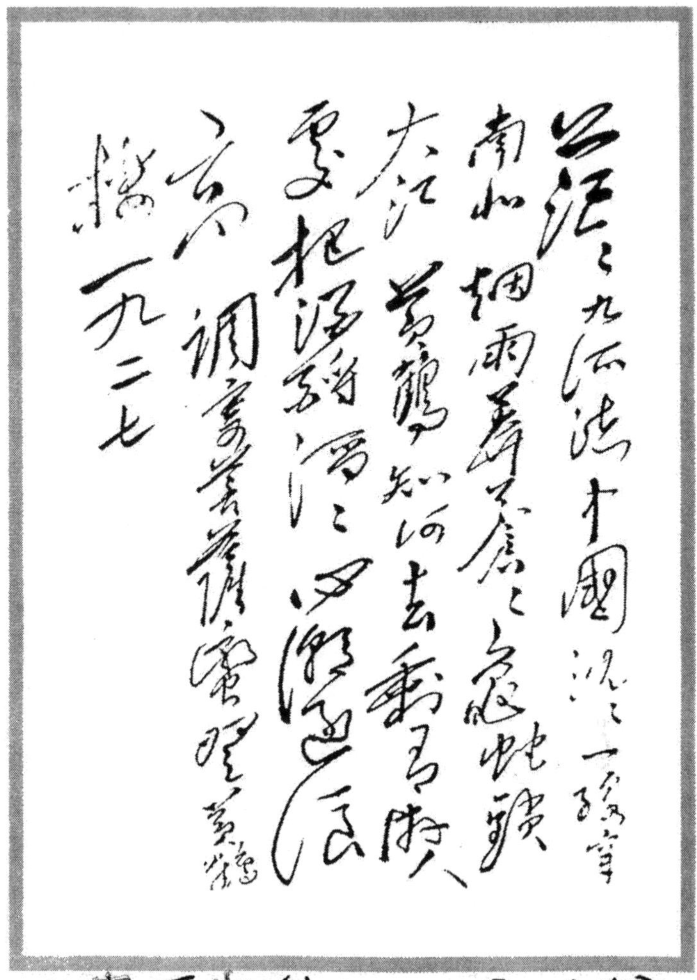

《華夏春秋》2019.4期

释文：茫茫九派流中国，沉沉一线穿南北。
烟雨莽苍苍，龟蛇锁大江。
黄鹤知何去？剩有游人处。
把酒酹滔滔，心潮逐浪高！

本刊总监刘忠礼书法作品选登

風華正茂

戊戌年 劉忠禮書

《華夏春秋》二〇一九.四期

廣廈千百眠五尺
黄金萬兩用三分

劉忠禮書

遠上寒山石徑斜　白雲生處有人家　停車坐愛楓林晚　霜葉紅於二月花

唐 杜牧 山行詩一首　戊戌年夏 劉志禮書

無滅無生　歷千劫而不古　若隱若顯　運百福而長今

戊戌秋日　劉志禮書

行勝於言

志禮書

《華夏春秋》2019、4期

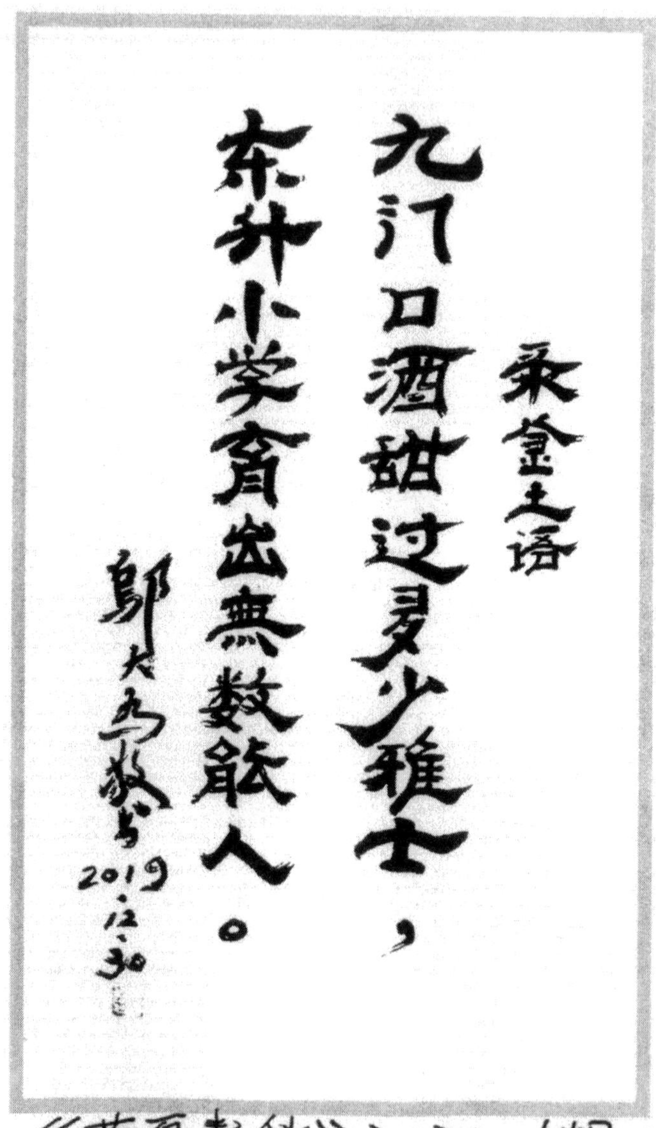

《華夏春秋》2020.1期

著名歌词作家、书法家邬大为书法作品

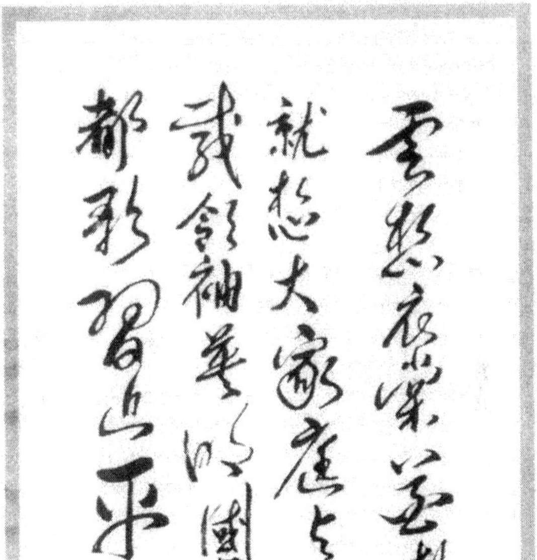

《華夏春秋》2020.1期

书法家王新元录金土《祖国颂》：

云想衣裳花想容，中华就想大家庭。
与时俱进七十载，领袖英明国运通。
今日都歌习近平。

《華夏春秋》2020.1期

本刊特聘书法家赵宝来录金土《天籁》：

村边柳林，蝉歌燕鸣，老翁侧耳倾听，入心都是情。　　白云莅临，魂牵梦萦，谁家音响银屏，尽放天籁声。

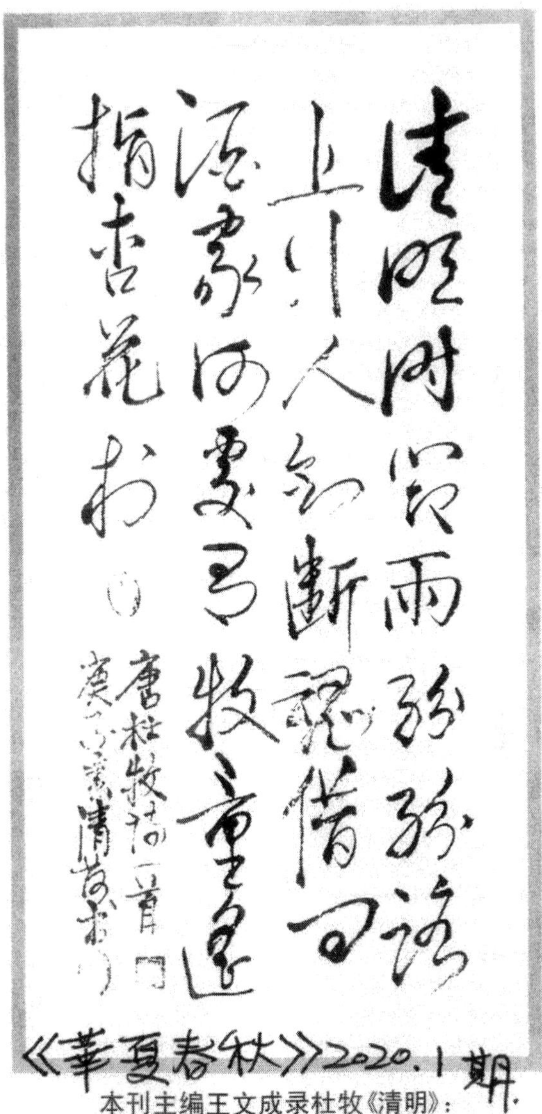

本刊主编王文成录杜牧《清明》：

清明时节雨纷纷，路上行人欲断魂。

借问酒家何处有，牧童遥指杏花村。

輯八　《華夏春秋》二〇二〇年第二、三期《金土研究》的反響

賀陳福成先生大著《中國鄉土詩人金土作品研究》二版付梓

遼寧 金 土

簡 介

金土原名張雲圻，遼寧綏中人，現任《華夏春秋》詩刊執行主編，已執編出刊達45期。已出版《我愛》等六部詩集，已在《詩刊》、《中華詩詞》、《北京文學》、《遼寧日報》、香港《中國文學》、臺灣《葡萄園》、美國《新大陸》、新加坡《世紀風》、馬來西亞《清流》、菲律賓《菲華日報》等幾百家報刊發表作品。曾榮獲"蔡麗雙杯"等幾十個大獎。

臺灣著名作家陳福成著的《中國鄉土詩人金土作品研究》一書，已在大陸引起強烈反響。

"金土作品研究"，臺灣大儒陳福成先生著。

欣聞二版付梓，大陸多人待讀。

待讀，待讀，海峽海岸共歡呼。

致臺灣著名作家陳福成先生——

兼至著名鄉土詩人金土先生

遼寧　鄧義林

簡　介

鄧義林，遼寧綏中人，《華夏春秋》詩刊辦公室主任，著有《九江河畔》。

這不是套話，
這不是胡聊，
臺灣是中國領土，
天下無人不曉。

但因台獨份子倒行逆施，
投靠勾結"世界警察"美國進行阻撓，
臺灣與大陸，
至今還被海峽隔著。

陳老先生是炎黃子孫，
企盼兩岸統一，臺灣回到祖國懷抱，
以宣傳春秋大業為志，
把《華夏春秋》期刊創造。

陳老先生讀過很多書，學識淵博，
和臺灣、大陸很多仁人志士友好，
金土就是其中的一位，
願你們在華夏文明路上迅跑

贈《華夏春秋》

江西　馬希燦

《華夏春秋》有特色，文壇之上評論多。
有篇來自美利堅，署名王毅大學者。
《華夏春秋》內容豐，老馬一見便鍾情。
若有一期遲收到，心中都會不安寧。
《華夏春秋》獨一幟，不是吹捧是說實。
不管他人怎樣看，多年研讀讓我識。
《華夏春秋》是民刊，已經編了十多年。
先是陳君（註一）後金老（註二），願跟他倆永向前！

註一　陳君，即陳福成。
註二　金老，即金土。

憶王孫・讀臺灣陳福成君來信感賦

遼寧　金　土

簡介

金　土原名張雲圻，遼寧綏中人，現任《華夏春秋》詩刊執行主編，已執編出刊達45期。已出版《我愛》等六部詩集，已在《詩刊》、《中華詩詞》、《北京文學》、《遼寧日報》、香港《中國文學》、臺灣《葡萄園》、美國《新大陸》、新加坡《世紀風》、馬來西亞《清流》、菲律賓《菲華日報》等幾百家報刊發表作品。曾榮獲"蔡麗雙杯"等幾十個大獎。

臺灣著名作家陳福成著的《中國鄉土詩人金土作品研究》一書，已在大陸引起強烈反響。

飛鴻萬里把書傳，
金土欣讀卻恍然。
原是疫情給阻攔，
弟兄間，情意雖深晤卻難。

拜讀臺灣陳福成《金土研究》使我想起那年

黑龍江 沈學印

簡介

沈學印，筆名曉哂、雪垠、慎重、繼續彈等，網名逍遙劍客哂。曾供職於電視媒體，記者、編導、製片人。50年代初期生於祖國北方，長在雪鄉林區，先做學生讀書、當過下鄉知青，而後返城學過烹飪專業、搞過美術創作、進過政府機關，最後選擇新聞媒體一幹30年，直至二〇一一年退休。業餘時間喜歡收藏、旅遊、偏愛書畫，也寫點東西。迄今已有三〇〇〇餘篇（首）文學作品在《人民文學》《人民日報》《詩刊》《星星》《中國文藝》《世界文藝》《中國鐵路文學》《作家報》《大森林文學》《黑龍江作家》《黑龍江日報》等百餘家報紙雜誌和《新加坡文藝》、新加坡《錫山文藝》、泰國《中華日報》、香港《中國文學》、臺灣《葡萄園》、美國《新大陸》、越南《西貢解放日報》及《世界華人文學》等詩刊和文學期刊發表。出版文集30餘部，編著文學作品集20餘部；榮獲各類國家和省級文學獎項30餘次。系中國散文詩作家協會主席團委員、中國詩歌協會會員、中國國際文學藝術家協會會員、中國林業作家協會會員、黑龍江省作家協會會員、黑龍江省生態文學藝術家協會會員、黑龍江省毛澤東詩詞研究會常務理事、世界華人文學社團機構及選稿基地主編等，多家民刊名譽顧問、主編、副主編等；曾創辦主編《江海文藝・東北版》、《岷州文學・綠色風》、《雅海文學・綜合版》等民刊10餘年之久，出版雙月刊80餘期。現為《烏蘇里江・綠色風》雜誌社總編輯、《知青文學專號》編輯部主編。

那年，我在綏中認識了他
準確地說，是他邀請我參加他們的詩會
因為他的那裡散發著濃濃的書香詩氣
人們稱他的那裡是農民詩歌大縣
因為他就是那裡寫詩編詩出詩集辦詩刊的農民詩人
就為這
我乘車，我驅車，我轉車
我以步代車，風塵僕僕趕到了綏中
趕到了綏中・中國第八屆詩人節・大鄉土詩人峰會
趕到了他的身邊和蒸騰著熱土氣息的詩人中間
在這裡我看到書山刊林的縱橫陳列與錯落有致
在這裡我看到詩韻的起伏錦延與伸展遠望
在這裡我看到他的骨頭與脊樑總是堅硬無比和俠骨柔腸
他除了這些正常案頭的癡迷和執著外
還在田間地頭留下抹不去的字跡

還在社區村莊上留下韻律的悠長
還在詩韻的課堂留下講解的身影讓人難忘
他不知疲倦，只知奉獻
他不知辛苦，只知貢獻
他不知艱難，只知鞠躬前行，甘苦自嘗

他說
為了孩子能熱愛詩歌
為了年輕人能喜歡詩歌
為了成年人能熱衷詩歌
更能放飛天真，詩意成長
更能成熟堅強，詩海倘佯
更能腳步鏗鏘，詩壇冀望
更為了這塊熱土能有詩歌的光大宏揚
他助後浪趕超前浪，一代更比一代強
他像人民的兒子紮根深深的土壤

不屈不倒，無悔奮蹄自揚
奉獻的無私無怨，成為寫詩的精神狂
至今留下足跡串串，詩文行行
詩著等身，肝膽傾囊
詩刊出版，照天照地
他卻像平凡的小草一樣
眷戀土地，崇愛陽光
讓人愛戴，讓人敬仰
在詩歌的大海洋上
他舉起揚帆，他把舵遠航
這位詩人就是中國農民詩人——金土
這位詩人就是中國鄉土詩人——金士
這個名字——
已在綏中，已在葫蘆島
已在大渤海，已在大燕山的遼西走廊

唱響無數年
並將繼續唱響
永遠唱響
……

贊金土——讀臺灣陳福成《金土研究》感賦

遼寧 趙英傑

簡 介

趙英傑，原綏中縣人大主任，縣委副書記，《華夏春秋》詩刊顧問。

土本是農夫，著出六部書。
措詞平淡美，筆記體裁殊。
美國王君[1]贊，臺灣陳老[2]究。
八十還不餒，猶在奔前途。

註一 王君，即王毅。
註二 陳老，即陳福成。

致臺灣著名作家陳福成先生

山東　白光升

簡　介

白光升一九三五年10月生於山東省陽谷縣牛吳村。山東省陽谷縣壽張鎮中學原副校長、黨支部副書記。中教高級教師、省優秀教師。愛好詩向創作，著有《田野集》詩歌一百首、《難忘的詩情》（一—六集）、《賦閑聯吟》等。九州詩詞學、山東楹聯藝術聯合會、中州詩詞學會、中華詩詞學會等會員。

一

一部「研究」情感真，臺灣大陸一家人。
何期兩岸成一統，敬盼與君舉酒樽！

二

「研究」一部墨香醇，讀後陳君似故人。
《華夏春秋》牽紫線，詩人金土敘緣姻。

臨江仙・夢——致陳福成先生

遼寧　王　恕

簡　介

王　恕，遼寧綏中人，《華夏春秋》詩刊編委，已出版詩集《秋野翻騰》。

華夏子孫營遠大，
春秋種夢開花。
雨風和調漫天涯，
山　山攀做弟，
水　水論一家。

連麥九霄接號外，
宇通快影追乏。
地天無處不中華，
心歌貪笑野，
社鼓競狂笳。

讀《金土研究》致陳福成先生（外一詞）

山東　呂月英

簡介

呂月英，女，一九四五年五月生於山東省陽谷縣呂街村。熱愛詩詞創作。在省內外開展的詩詞競賽中，有近百首詩詞作品獲得不同獎項。聊城市詩詞學會會員。

行間字裡思鄉墨，歲考事酌情感真。
一卷友情小傳史，促成兩岸一家親！

憶王孫・讀《金土研究》

「研究」讀罷味香醇，頓覺陳君是故人。
考謹情深一片心。陸台親，紅線一條大寫真。

《華夏春秋》書法題頌

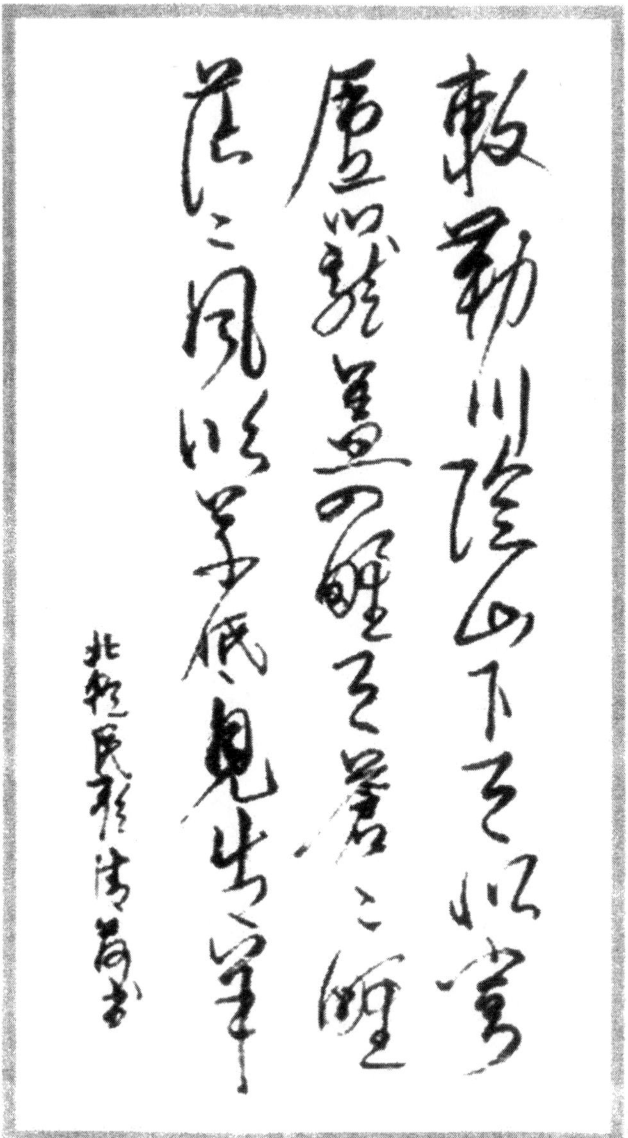

《華夏春秋》2020.2期

本刊主编王文成书法作品

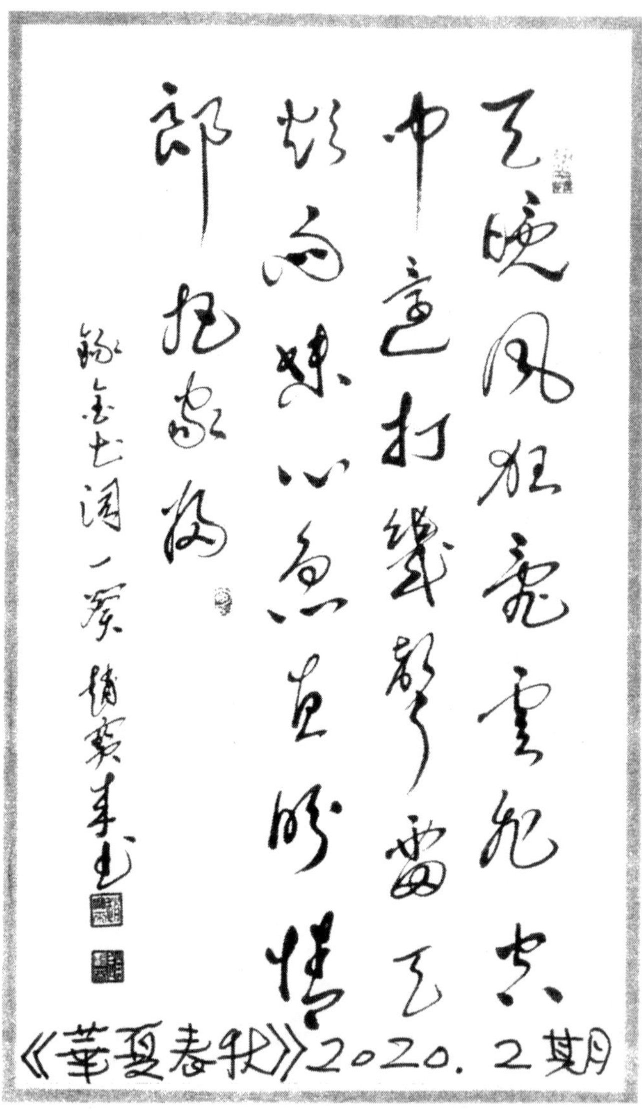

本刊特聘书法家赵宝来录金土《渔歌子•盼情郎》：

天晚风狂乱云飞，空中还打几声
雷。天欲雨，妹心急，直盼情郎把家归。

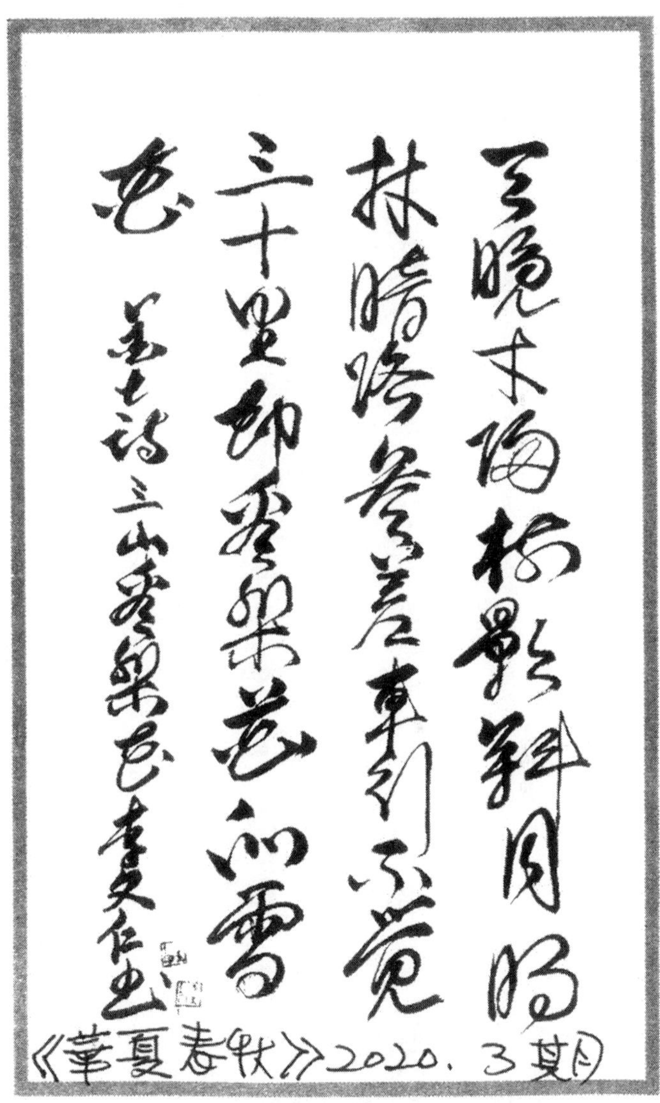

本刊编委李文仁录金士《去范家三山看梨花》：

天晚才归树影斜，月明林暗路参差。

车行不觉三十里，却看梨花似雪花。

《華夏春秋》
2020.3期

本刊主编王文成书法作品

——敬录毛主席采桑子·重阳词一首

《華夏春秋》2020.3期

本刊特聘书法家赵宝来录金土《踏春去》：

闲日出城去踏青，山翁醉在柳烟中。
天飘白絮疑飞雪，树隐莺啼侧耳听。

附件 金土書簡等

中国《诗海》诗刊编辑部

福成弟：见信如晤！

你的大著《金土研究》我细读了两遍。感到只用三个月时间，没有一定的文学功底，是完不成的。至于书中词句，如第11页倒数第八行"春蚕到死丝方尽"，"到"应写"不"、"方"应写"无"等，无大碍，改也可，不改也行。总之，《金土研究》一书是成功的。我向你表示祝贺！

地址：辽宁省葫芦岛市绥中118信箱 邮编：125299
电话：0429-3657052 15898271473

中国《诗海》诗刊编辑部

我将把你的"作家手稿"送交图书馆永远珍藏，珍藏回执待给你寄"港刊"时夹去。

你能不能亲莅绥中，我会找县委书记组织召开《金土研究》一书发行会，报纸报道，电视台热播，游览三日。台湾和大陆文化交流，象征中华民族携手前进，那该多好啊！

此致 祝万事如意！

地址：辽宁省葫芦岛市绥中 118 信箱 邮编：125299
电话：0429-3657052 15898271473 金土

2017、11、26

中国《诗海》诗刊编辑部

陈福成：

啥时回信，可告诉我收到此书。

此致

祝好！

金土

2017年6月11日

地址：辽宁省葫芦岛市绥中118信箱 邮编：125299
电话：0429-3657052 15898271473

中国《诗海》诗刊编辑部

陈福成老師：您好！

2017年5月21日，欣然收到您的来信。认真读后，万分惊喜。感到您是台湾著名作家，写大陆金土，完备受观注。我已在本期"诗刊"上发了消息，措词有不当之处，无关大局，不必介意。

已给您寄去四本书，供您写作时翻阅。为给您多提供些资料，我将要出一本18个印张，576页文字，书名叫《我爱》，正在打字排版中，八月份准能寄到您手。

地址：辽宁省葫芦岛市绥中 118 信箱　邮编：125299
电话：0429-3657052　15898271473

中国《诗海》诗刊编辑部

欢迎您来辽，可带几个名家或政府官员，我方定热情接待！

此致

敬礼！

金土

2017.6.28

地址：辽宁省葫芦岛市绥中 118 信箱　邮编：125299
电话：0429-3657052　15898271473

中国《诗海》诗刊编辑部

福成弟：

你寄来的第一批（50本）《金土研究》，我收到了。分给了绥中和我最亲密的诗友。诗友们读后，纷纷同意《港城诗韵》改为《华夏春秋》，你当名誉主编。在我县文联、作协领导下，进行办刊。你如没意见，可来信告之。因僧多粥少，我县县长还没得到《金土研究》，催我写信，希您第二批《金土研究》早些寄来！

顺问我县档案局和图书馆给你寄去的荣誉证书收到否？

此致 敬好 金土 3月12日

地址：辽宁省葫芦岛市绥中118信箱 邮编：125299
电话：0429-3657052 15898271473

中国《诗海》诗刊编辑部

福成弟：你好！

你的大著《金土研究》，于2018年1月25日，我已收到。并送到绥中档案局、图书馆，他们都如获至宝，给予珍存。今特将他们发给你的荣誉证书寄去。有些领导和文学志士读后，反映很好，都向我打来电话，我刊会在下期报导。这一定能产生深远影响。

此致

金土 2018、2、3

地址：辽宁省葫芦岛市绥中 118 信箱 邮编：125299
电话：0429-3657052 15898271473

中国《诗海》诗刊编辑部

陈老弟：

先寄二本，过几天我还给你寄一本。此致

祝好！

金土 9.13

註：金土寄這兩本是《我愛》詩集，605頁，香港，中國新聞出版。是他創作60週年紀念。（2017年）

地址：辽宁省葫芦岛市绥中118信箱 邮编：125299
电话：0429-3657052 15898271473

中国《诗海》诗刊编辑部

福成弟：如晤！

寄来的第二批《中国乡土诗人金土作品研究》收到了，我已分发绥中县委书记、县长、县政协、县教育局等要员，还寄石家庄刘章、武汉张永健（中国乡土诗人协会会长），还寄北京王耀东、深圳呼岩鹰、长春杨子忱等名家，他们都十分重视此书，并给予很高评价。

如果还寄来第三批《中国乡土诗人金土作品研究》，我就寄给全国各地的《华夏春秋》诗刊会员，那样定能在大陆文坛上产生更大的影响。

地址：辽宁省葫芦岛市绥中 118 信箱　邮编：125299
电话：0429-3657052　15898271473

中国《诗海》诗刊编辑部

　　這一场子，不此耗费了你的大量精力，也耗费了你的大量资金，這一点我是十分理解的。因之，我办《华夏春秋》期刊，不会打扰你。

　　有稿件可寄来，我每期刊上都可给你发表。

此致

祝创作丰收！

金土

2018.6.19于绥

地址：辽宁省葫芦岛市绥中118信箱　邮编：125299
电话：0429-3657052　15898271473

中国《诗海》诗刊编辑部

福成弟：见信如晤！

您给我寄来的诸多书上有您的彩照，虽很漂亮，都因太小，至今未能达到我在《华夏春秋》期刊封面上刊登之目的。

故盼寄一张六寸的生活照来！

此致

祝友谊长存！

金土

2019年3月10日

于绥中水韵奥园

地址：辽宁省葫芦岛市绥中118信箱 邮编：125299
电话：0429-3657052 15898271473

《华夏春秋》诗刊编辑部

福成弟：

盼寄一张生活照来，放《华夏春秋》封面上。

此致

祝创丰收！

金土

2020年4月13日

通联：辽宁省绥中城水韵奥园3#楼1单元203信箱　　邮编：125299
电话：15898271473（金土）　　电子邮箱：2113930399@qq.com
农行卡号：6228481278158309774

《华夏春秋》诗刊编辑部

福成弟：

2019年四本《华夏春秋》刊，是否都收到了？甚是惦记。

请寄一張4寸大的生活照来，放在"华刊"封面上用。如能寄来六寸大的生活照来，当然更好。

此致

祝身体健康！

金土
2020年4月1日

通联：辽宁省绥中城水韵奥园 3# 楼 1 单元 203 信箱　　邮编：125299
电话：15898271473（金土）　　电子邮箱：2113930399@qq.com
农行卡号：6228481278158309774

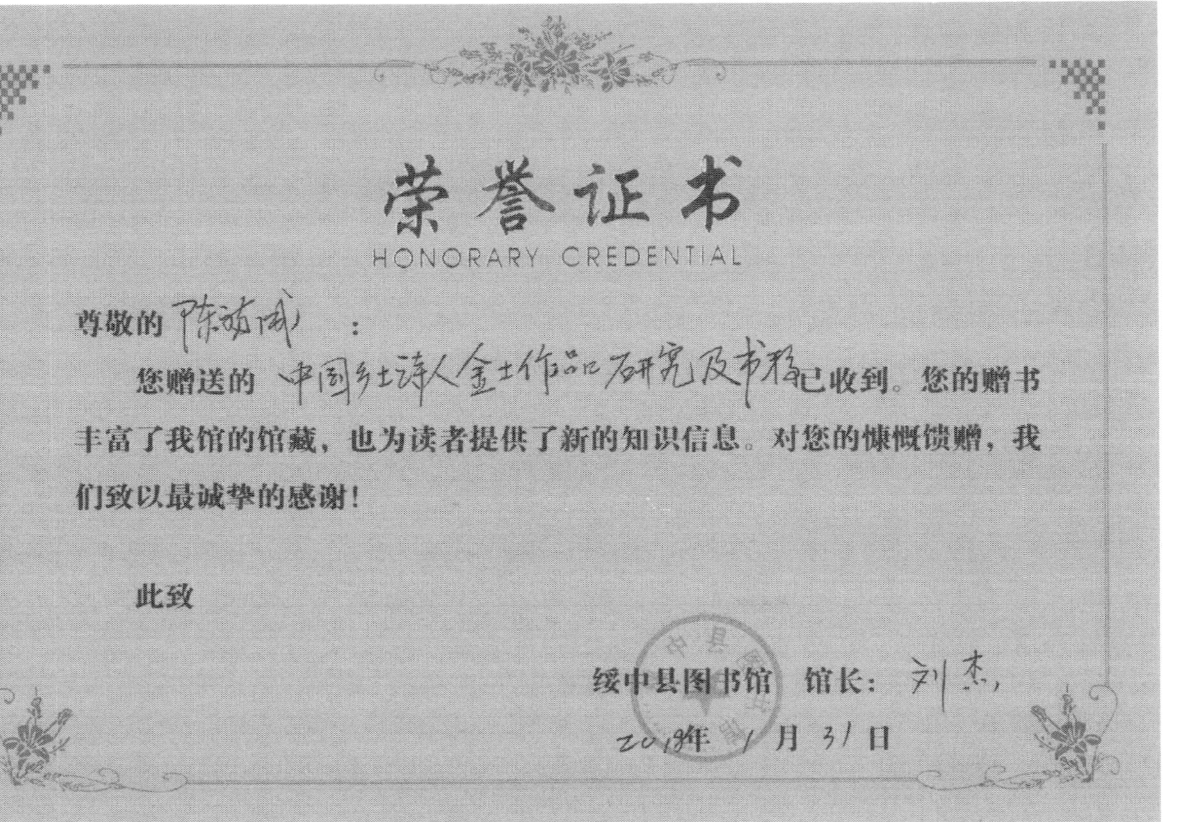

荣誉证书

HONORARY CREDENTIAL

尊敬的陈[illegible]成：

您赠送的中国乡土诗人金土作品研究及书稿已收到。您的赠书丰富了我馆的馆藏，也为读者提供了新的知识信息。对您的慷慨馈赠，我们致以最诚挚的感谢！

此致

绥中县图书馆　馆长：刘杰

2019年1月31日

荣誉证书

尊敬的陈福成：

承惠赠《中国乡土诗人金土作品研究》壹套。所赠书籍，悉数收讫，深荷厚意，特发此证。

此致

绥中县档案局

2018年1月31日

陳福成著作全編總目

壹、兩岸關係

①決戰閏八月
②防衛大台灣
③解開兩岸十大弔詭
④大陸政策與兩岸關係

貳、國家安全

⑤國家安全與情治機關的弔詭
⑥國家安全與戰略關係
⑦國家安全論壇。

參、中國學四部曲

⑧中國歷代戰爭新詮
⑨中國近代黨派發展研究新詮
⑩中國政治思想新詮
⑪中國四大兵法家新詮：孫子、吳起、孫臏、孔明

肆、歷史、人類、文化、宗教、會黨

⑫神劍與屠刀
⑬中國神譜
⑭天帝教的中華文化意涵
⑮奴婢妾匪到革命家之路：復興廣播電台謝雪紅訪講錄
⑯洪門、青幫與哥老會研究

伍、詩〈現代詩、傳統詩〉、文學

⑰幻夢花開一江山
⑱赤縣行腳・神州心旅
⑲「外公」與「外婆」的詩
⑳尋找一座山
㉑春秋記實
㉒性情世界
㉓春秋詩選
㉔八方風雲性情世界
㉕古晟的誕生
㉖把腳印典藏在雲端
㉗從魯迅文學醫人魂救國魂說起
㉘六十後詩雜記詩集

陸、現代詩（詩人、詩社）研究

㉙三月詩會研究
㉚我們的春秋大業：三月詩會二十年別集
㉛中國當代平民詩人王學忠
㉜讀詩稗記
㉝嚴謹與浪漫之間
㉞一信詩學研究：解剖一隻九頭詩鵠
㉟囚徒
㊱胡爾泰現代詩臆說
㊲王學忠籲天詩錄

柒、春秋典型人物研究、遊記

㊳山西芮城劉焦智「鳳梅人」報研究
㊴在「鳳梅人」小橋上
㊵我所知道的孫大公

㊶為中華民族的生存發展進百書疏
㊷金秋六人行
㊸漸凍勇士陳宏

捌、小說、翻譯小說

㊹迷情・奇謀・輪迴、
㊺愛倫坡恐怖推理小說

玖、散文、論文、雜記、詩遊記、人生小品

㊻一個軍校生的台大閒情
㊼古道・秋風・瘦筆
㊽頓悟學習
㊾春秋正義
㊿公主與王子的夢幻、
(51)洄游的鮭魚
(52)男人和女人的情話真話
(53)台灣邊陲之美
(54)最自在的彩霞
(55)梁又平事件後

拾、回憶錄體

(56)五十不惑
(57)我的革命檔案
(58)台大教官興衰錄
(59)迷航記、
(60)最後一代書寫的身影
(61)我這輩子幹了什麼好事
(62)那些年我們是這樣寫情書的
(63)那些年我們是這樣談戀愛的
(64)台灣大學退休人員聯誼會第九屆理事長記實

拾壹、兵學、戰爭

(65)孫子實戰經驗研究
(66)第四波戰爭開山鼻祖賓拉登

拾貳、政治研究

(67)政治學方法論概說
(68)西洋政治思想史概述
(69)中國全民民主統一會北京行
(70)尋找理想國：中國式民主政治研究要綱

拾參、中國命運、喚醒國魂

(71)大浩劫後：日本311天譴說日本問題的終極處理

拾肆、地方誌、地區研究

(72)台大逸仙學會
(73)台北公館台大地區考古・導覽
(74)台中開發史
(75)台北的前世今生
(76)台北公館地區開發史

拾伍、其他

(77)英文單字研究
(78)與君賞玩天地寬（文友評論）
(79)非常傳銷學
(80)新領導與管理實務

2015 年 9 月後新著

編號	書　　　名	出版社	出版時間	定價	字數（萬）	內容性質
81	一隻菜鳥的學佛初認識	文史哲	2015.09	460	12	學佛心得
82	海青青的天空	文史哲	2015.09	250	6	現代詩評
83	為播詩種與莊雲惠詩作初探	文史哲	2015.11	280	5	童詩、現代詩評
84	世界洪門歷史文化協會論壇	文史哲	2016.01	280	6	洪門活動紀錄
85	三搞統一：解剖共產黨、國民黨、民進黨怎樣搞統一	文史哲	2016.03	420	13	政治、統一
86	緣來艱辛非尋常－賞讀范揚松仿古體詩稿	文史哲	2016.04	400	9	詩、文學
87	大兵法家范蠡研究－商聖財神陶朱公傳奇	文史哲	2016.06	280	8	范蠡研究
88	典藏斷滅的文明：最後一代書寫身影的告別紀念	文史哲	2016.08	450	8	各種手稿
89	葉莎現代詩研究欣賞：靈山一朵花的美感	文史哲	2016.08	220	6	現代詩評
90	臺灣大學退休人員聯誼會第十屆理事長實記暨 2015～2016 重要事件簿	文史哲	2016.04	400	8	日記
91	我與當代中國大學圖書館的因緣	文史哲	2017.04	300	5	紀念狀
92	廣西參訪遊記（編著）	文史哲	2016.10	300	6	詩、遊記
93	中國鄉土詩人金土作品研究	文史哲	2017.12	420	11	文學研究
94	暇豫翻翻《揚子江》詩刊：蟾蜍山麓讀書瑣記	文史哲	2018.02	320	7	文學研究
95	我讀上海《海上詩刊》：中國歷史園林豫園詩話瑣記	文史哲	2018.03	320	6	文學研究
96	天帝教第二人間使命：上帝加持中國統一之努力	文史哲	2018.03	460	13	宗教
97	范蠡致富研究與學習：商聖財神之實務與操作	文史哲	2018.06	280	8	文學研究
98	光陰簡史：我的影像回憶錄現代詩集	文史哲	2018.07	360	6	詩、文學
99	光陰考古學：失落圖像考古現代詩集	文史哲	2018.08	460	7	詩、文學
100	鄭雅文現代詩之佛法衍繹	文史哲	2018.08	240	6	文學研究
101	林錫嘉現代詩賞析	文史哲	2018.08	420	10	文學研究
102	現代田園詩人許其正作品研析	文史哲	2018.08	520	12	文學研究
103	莫渝現代詩賞析	文史哲	2018.08	320	7	文學研究
104	陳寧貴現代詩研究	文史哲	2018.08	380	9	文學研究
105	曾美霞現代詩研析	文史哲	2018.08	360	7	文學研究
106	劉正偉現代詩賞析	文史哲	2018.08	400	9	文學研究
107	陳福成著作述評：他的寫作人生	文史哲	2018.08	420	9	文學研究
108	舉起文化使命的火把：彭正雄出版及交流一甲子	文史哲	2018.08	480	9	文學研究
109	我讀北京《黃埔》雜誌的筆記	文史哲	2018.10	400	9	文學研究
110	北京天津廊坊參訪紀實	文史哲	2019.12	420	8	遊記
111	觀自在綠蒂詩話：無住生詩的漂泊詩人	文史哲	2019.12	420	14	文學研究
112	中國詩歌墾拓者海青青：《牡丹園》和《中原歌壇》	文史哲	2020.06	580	6	詩、文學

113	走過這一世的證據：影像回顧現代詩集	文史哲	2020.06	580	6	詩、文學
114	這一是我們同路的證據：影像回顧現代詩題集	文史哲	2020.06	540	6	詩、文學
115	感動世界：感動三界故事詩集	文史哲	2020.06	360	4	詩、文學
116	印加最後的獨白：蟾蜍山萬盛草齋詩稿	文史哲	2020.06	400	5	詩、文學
117	台大遺境：失落圖像現代詩題集	文史哲	2020.09	580	6	詩、文學
118	中國鄉土詩人金土作品研究反響選集	文史哲	2020.10	360	4	詩、文學

陳福成國防通識課程著編及其他作品

（各級學校教科書及其他）

編號	書　　　　名	出版社	教育部審定
1	國家安全概論（大學院校用）	幼　獅	民國 86 年
2	國家安全概述（高中職、專科用）	幼　獅	民國 86 年
3	國家安全概論（台灣大學專用書）	台　大	（臺大不送審）
4	軍事研究（大專院校用）	全　華	民國 95 年
5	國防通識（第一冊、高中學生用）	龍　騰	民國 94 年課程要綱
6	國防通識（第二冊、高中學生用）	龍　騰	同
7	國防通識（第三冊、高中學生用）	龍　騰	同
8	國防通識（第四冊、高中學生用）	龍　騰	同
9	國防通識（第一冊、教師專用）	龍　騰	同
10	國防通識（第二冊、教師專用）	龍　騰	同
11	國防通識（第三冊、教師專用）	龍　騰	同
12	國防通識（第四冊、教師專用）	龍　騰	同
13	臺灣大學退休人員聯誼會會務通訊	文史哲	
14	把腳印典藏在雲端：三月詩會詩人手稿詩	文史哲	
15	留住末代書寫的身影：三月詩會詩人往來書簡殘存集	文史哲	
16	三世因緣：書畫芳香幾世情	文史哲	

註：以上除編號 4，餘均非賣品，編號 4 至 12 均合著。　　編號 13　定價 1000 元。